中國美術全集

年　畫

全國百佳圖书出版單位
時代出版傳媒股份有限公司
黃　山　書　社

☆ 國家出版基金項目

圖書在版編目（CIP）數據

中國美術全集·年畫/金維諾總主編；邢振齡卷主編.—合肥：黃山書社，2010.6
ISBN 978-7-5461-1368-5

I.①中… II.①金… ②邢… III.①美術—作品綜合集—中國—古代 ②年畫—作品集—中國—古代 IV.①J121 ②J228.3

中國版本圖書館CIP數據核字（2010）第111969號

中國美術全集·年畫

總 主 編：金維諾	卷 主 編：邢振齡	責任印製：李曉明
責任編輯：宋啓發	封面設計：蠹魚閣	責任校對：李 婷

出版發行：時代出版傳媒股份有限公司(http://www.press-mart.com)
　　　　　黃山書社(http://www.hsbook.cn)
　　　　　（合肥市翡翠路1118號出版傳媒廣場7層　郵編：230071　電話：3533762）
經　　銷：新華書店
印　　刷：北京雅昌彩色印刷有限公司

開本：889×1194　1/16　　印張：17.75　　字數：48千字　　圖片：434幅
版次：2010年12月第1版　　印次：2010年12月第1次印刷
書號：ISBN 978-7-5461-1368-5　　　　　　　　　　　　定價：600圓

版權所有　侵權必究
（本版圖書凡印刷、裝訂錯誤可及時向承印廠調換）

《中國美術全集》編纂委員會

總　顧　問　季羨林
顧問委員會　啓　功（原北京師範大學教授）
　　　　　　俞偉超（原中國國家博物館館長、教授）
　　　　　　王世襄（原故宮博物院研究員）
　　　　　　楊仁愷（原遼寧省博物館研究員）
　　　　　　史樹青（原中國國家博物館研究員）
　　　　　　宿　白（北京大學考古文博學院教授）
　　　　　　傅熹年（中國工程院院士）
　　　　　　李學勤（中國社科院歷史所原所長、研究員）
　　　　　　耿寶昌（故宮博物院研究員）
　　　　　　孫　機（中國國家博物館研究員）
　　　　　　田黎明（中國國家畫院副院長、教授）
　　　　　　樊錦詩（敦煌研究院院長、研究員）
總　主　編　金維諾（中央美術學院教授）
副總主編　　孫　華（北京大學考古文博學院教授）
　　　　　　羅世平（中央美術學院教授）
　　　　　　邢　軍（中央民族大學教授）
藝術總監　　牛　昕（時代出版傳媒股份有限公司副董事長、美術編審）

《年畫》卷主編　邢振齡（中華文學基金會研究員）

《中國美術全集》出版編輯委員會

主　　任　王亞非
副 主 任　田海明　林清發
編　　委　（以姓氏筆劃爲序）
　　　　　　王亞非　田海明　左克誠　申少君　包雲鳩　李桂開　李曉明
　　　　　　宋啓發　沈　傑　林清發　段國强　趙國華　劉　煒　歐洪斌
　　　　　　韓　進　羅鋭韌
執行編委　左克誠　宋啓發
項目策劃　羅鋭韌　沈　傑
封面設計　蠹魚閣
品質監製　李曉明　歐洪斌

凡　例

一、編　排

1.本書所選作品範圍爲中國人創作的、反映中國文化的美術品，也收錄了少量外國人創作的、在中外文化交流史上具有代表性的美術品，如唐代外來金銀器、清代傳教士郎世寧的繪畫作品等。

2.根據美術品的表現形式和質地，共分爲二十餘類，合爲卷軸畫、殿堂壁畫、墓室壁畫、石窟寺壁畫、畫像石畫像磚、年畫、岩畫版畫、竹木骨牙角雕琺瑯器、石窟寺雕塑、宗教雕塑、墓葬及其他雕塑、書法、篆刻、青銅器、陶瓷器、漆器家具、玉器、金銀器玻璃器、紡織品、建築等二十卷，五十册。另有總目錄一册。

3.各卷前均有綜述性的序言，使讀者對相應類別美術品的起源、發展、鼎盛和衰落過程有一個較爲全面、宏觀的瞭解。

4.作品按時代先後排列。卷軸畫、書法和篆刻卷中的署名作品，按作者生年先後排列，佚名的一律置于同時期署名作品之後。摹本所放位置隨原作時間。

5.一些作品可以歸屬不同的分類，需要根據其特點、規模等情況有所取捨和側重，一般不重複收錄。如雕塑卷中不收錄玉器、金銀器、瓷器。當然，青銅器、陶器中有少數作品，歷來被視爲古代雕塑中的精品（如青銅器中的象尊、陶器中的人形罐等），則酌予兼收。

6.爲便于讀者瞭解大型美術品的全貌，墓室壁畫、紡織品等類別中部分作品增加了反映全貌或局部的示意圖。

二、時間問題

7.所選美術品的時間跨度爲新石器時代至公元1911年清王朝滅亡（建築類適當下延）。

8.遼、北宋、西夏、金、南宋等幾個政權的存在時間有相互重疊的情況，排列順序依各政權建國時間的先後。

9.新疆、西藏、雲南等邊疆地區的美術品，不能確知所屬王朝的（如新疆早期石窟寺），以公元紀年表示，可以確知其所屬王朝（如麴氏高昌、回鶻高昌、南詔國、大理國、高句麗、渤海國等）的，則將其列入相應的時間段中。

10.對于存在時間很短的過渡性政權，如新莽、南明、太平天國等，其間產生的作品亦列入相應的時間段中，政權名作爲作品時間注明。

11.某些政權（如先周、蒙古汗國、後金等）建國前的本民族作品，則按時間先後置于所立國作品序列中，如蒙古汗國的美術品放在元朝。

三、圖版説明

12. 文字采用規範的繁體字。

13. 對所選美術作品一般祇作客觀性的介紹，不作主觀性較强的評述。

14. 所介紹内容包括所屬年代、外觀尺寸、形制特徵、内容簡介、現藏地等項，出土的作品儘量注明出土地點。由于資料缺乏或難以考索，部分作品的上述各項無法全部注明，則暫付闕如，以待知者。

四、目録及附録

15. 爲了方便讀者查閲，目録與索引合并排印，在每一行中依次提供頁碼、作品名稱、所屬時間、出土發現地/作者、現藏地等信息。

16. 爲體現美術作品發展的時空概念，每卷附有時代年表，個别卷附有分布圖，如石窟寺分布圖、墓室壁畫分布圖等。

五、其　他

17. 古代地名一般附注對應的當代地名。當代地名的録入，以中華人民共和國國務院批準的2008年底全國縣級以上行政區劃爲依據。

18. 古代作者生卒年、籍貫、履歷等情況，或有不同的説法，本書擇善而從，不作考辨。

中國美術全集總目

總目錄
卷軸畫
石窟寺壁畫
殿堂壁畫
墓室壁畫
岩畫　版畫
年畫
畫像石　畫像磚
書法
篆刻
石窟寺雕塑
宗教雕塑
墓葬及其他雕塑
青銅器
陶瓷器
玉器
漆器　家具
金銀器　玻璃器
竹木骨牙角雕　琺瑯器
紡織品
建築

中國年畫概述

年畫是中國特有的一種繪畫體裁，也是中國民間最普及的藝術品種之一。每逢農曆新年，人們將繪畫貼在門窗或室內墻壁上，以象徵驅凶迎祥，增添節日的喜慶氣氛，祝願新年吉慶。貼上後不能揭下，第二年又要貼上一張新年畫，以表示除舊迎新。

年畫這個名詞是清代後期才出現的。北宋時期稱其爲"紙畫兒"，明代宮中稱爲"畫貼"，各地民間的叫法還有"畫張"、"畫片"和"花紙"等。清代道光二十九年李光庭所著《鄉言解頤》一書中有"新年十事"一節，其中"年畫"一事中講："掃舍之後，便貼年畫，稚子之戲耳。然如《孝順圖》、《莊稼忙》，令小兒看之，爲之解說，未嘗非養正之一端也。"這是中國文獻中第一次出現"年畫"這一名詞。

一、年畫發展簡史

新年時舉行驅邪避灾的儀式在中國由來已久，早期主要有挂桃木板和燒竹子。挂桃木板是因爲有兩位捉鬼的神人守于大桃樹下，他們分別叫作神荼和鬱壘，把寫有兩位神人名字的桃木板挂于門户左右，可以形成避鬼的符籙。有些人家還將神荼、鬱壘的形象畫于桃木板上。這種風俗在多部漢代的文獻中都有記載，如東漢蔡邕《獨斷》一書中記載："十二月歲竟，常以先臘之夜逐除之也，乃畫荼、壘并懸葦索于門户，以禦凶也。"這種風俗一直延續，後來發展爲年畫中很重要的一類——門畫。所以可以把漢代繪有神荼、鬱壘的桃木板看作爲中國新年挂圖驅鬼祈福的開端。

漢代的這種風俗，到南北朝和隋唐時期題材和形式都有了很大發展，象徵驅邪除灾、吉慶祥瑞的繪畫作品，實物雖已不存，但在古代文獻中還是被記錄了下來，如《西王母益地圖》、《列仙圖》、《豐稔圖》、《田戲人物圖》和《三仙圍棋圖》等，這些題材很多被後世民間年畫所繼承。但這些作品由于是人工手繪，所以數量不大，并不能服務于廣大百姓，還不具備後世年畫受衆廣泛的特點。

北宋是中國手工業和商品經濟高度成長時期，新興的市民階層崛起，他們有着不同以往的物質生活和精神生活需要，所以過去作爲少數貴族欣賞和用作宗教宣傳的繪畫藝術，這時也開始平民化，并且商品化。年畫這種繪畫形式也開始真正形成和發展。

雕版印刷技術的進步，是中國年畫發展的真正動力。唐代的雕版印刷技術已經達到了一定的水平，但將雕版印刷用于年畫製作還是到宋代才開始的。正因爲雕版印刷，能大量生產，年畫才成爲廣泛流行的商品。

宋徽宗喜好繪畫，設立了皇家畫院，一定程度上促進了繪畫的發展。一方面，如蘇漢臣、李嵩等宮廷畫家創作了不少民間風俗題材的作品，另一方面，還有一批民間畫家，如京城的劉宗道、絳州的楊威、晋陽的陳坦，以及善畫娃娃的杜孩兒等，也頗爲著名。他們每畫一件作品，便複製很多幅，或雕版印刷千百張，供應市上。這些作品因而廣泛流傳于民間。

宋代南渡以後，戰爭和緩，社會暫時安定，都城臨安逐漸繁華，社會需要迅速增加，作爲精神需求的年畫也不例外。原在汴梁的雕版印畫的畫工和工匠很多也來到臨安，所以年畫生產在北宋原有基礎上又有所發展，題材更加多樣，如《武林舊事》記載："都下自十月以來，朝天門內外競售錦裝新曆，諸般大小門神、桃符、鍾馗、狻猊、虎頭，及金彩鏤花、春貼、幡旐之類，爲市甚盛。"與南宋同時期的北方金朝，也繼承了北宋的傳統，形成了以山西平陽（今臨汾）爲代表的年畫印製中心。在內蒙古西夏時期的黑水城遺址，曾發現兩幅重要的平陽年畫作品。一幅是《四美圖》，爲後世年畫常見的美人圖題材，圖中刻"隨（隋）朝窈窕呈傾國之芳容"畫題和"平陽姬家雕印"印記；另一幅是《義勇武安王位》，刻的是三國名將關羽，爲神將題材。平陽的商品在西夏屬地被發現，說明這些商品非常受推崇，流傳廣泛。

興起于北宋中原地區的民間年畫，到了南宋時期，形成了以臨安爲中心，逐漸向周圍地區輻射的發展格局。金代以平陽爲中心，並有晋北和燕京地區相呼應，逐漸向陝西、河北和山東等地拓展，使年畫更加普及，並爲後來的發展奠定了基礎。

元代不足百年，年畫的發展處于低落狀態。從現存不多的資料中可以看到，多數年畫都是宋、金同類年畫的延續，祇有新出現的一種叫做《九九消寒圖》的題材，爲後世所沿襲。

年畫在明代出現復興之勢。手工業和商業的發展，特別是小說、戲曲插圖的發展極大地促進了版畫刻印技術的提高。至明代末年，木版彩色套印成熟，並創造了餖版拱花的印刷技藝。據一些史料記載和考證，著名的天津楊柳青年畫、山東楊家埠年畫和蘇州桃花塢年畫，均始于明代。明代年畫的題材，以福慶喜壽類居多，遺存下來的年畫主要有《九九消寒圖》、《一團和氣圖》、《南極星輝圖》、《壽星圖》、《八仙祝壽圖》、《萬事如意》以及《十王圖》紙馬等。

年畫在清代進一步發展，達到鼎盛時期。清初統治者採取恢復生產，安定民生的一系列政策，逐步形成了國泰民安的局面。年畫的題材更加多樣，新出現了宣揚孝悌和睦、安居樂業的題材，如《孝悌重天倫》、《合家歡樂》和《金男玉女滿堂歡》等，還增加了大量的戲劇人物、小說故事、現實風情和山水花鳥等。在表現形式上也更加豐富，由原來的工筆重彩發展爲全部刻印，或半印半繪。畫店作坊不斷涌現，銷售市場不斷擴大。此期流傳下來的作品已不可計數，是中國年畫發展最繁盛的時期。

清末和民國時期，外寇入侵，社會動盪，傳統年畫出現衰落之勢。但同時也出現了一些表現現實生活的改良年畫，這些年畫中有反抗列強侵略，提倡愛國的《紅河大捷》、《天津北倉義和團民大破洋兵》和《女學堂演隊圖》等，有反映新事物、新景觀的《上海火車站》和《洋人結婚圖》等。此外由於西畫的傳入和商業發展的需要，又新出現了一種把國畫工筆重彩與西洋擦灰水彩結合起來的方法——月份牌年畫。

二、年畫的題材

根據年畫的內容和功用，可將題材作以下分類。

一、門神類

門神畫來源于古時過年時于門戶上挂桃木板，用以驅鬼避災，所以是年畫中最早的一個類別。門神畫一般爲左右對稱貼于兩扇門上，但也有少數獨幅畫，供貼于單扇門使用。門神包括文武門神（如神荼和鬱壘、秦瓊和尉遲恭、趙公明和捻燈道人，以及文武狀元和文武加官），賜福門神（如天官賜福、一品當朝、加官進祿、升平富貴、連年有餘），招財門神（如劉海戲蟾、推車進寶、日進斗金、金玉滿堂、搖錢樹），童子門神（如麒麟送子、張仙射天狗、五子奪魁、連生貴子、瓜瓞綿綿）和三星門神（福、禄、壽）等。

二、神像類

這類神像多貼于特定的龕位和環境，有些要接受香火叩拜，包括常供神像（如佛像、觀音菩薩、元（玄）天七帝、神農帝君、媽祖、財神、竈君）、天地三界十方真宰、禄馬扶持、太公在此（上梁大吉）、神位牌、行業祖師像和祖宗軸（三代宗親）等。

三、吉祥喜慶類

這類年畫表現了人們祈求富貴和美、人財興旺和長壽安康等的美好願望，主要包括麒麟降瑞、天賜黃金、財神叫門、五子登科、豐年吉慶、連中三元、馬上封侯、富貴榮華、五穀豐登、蟾宮折桂、狀元游街、發福生財、連年有餘、龍鳳呈祥、四季平安、吹簫引鳳、萬象回春、福壽雙全、福壽康寧、人財兩旺和金玉滿堂等。

四、歷史故事、小說傳奇類

這類題材都是廣大民衆所熟悉的故事，有書本上的，也有民間口頭流傳的。小說故事如《三國演義》、《水滸傳》、《說岳》、《楊家將》、《七俠五義》、《紅樓夢》和《西廂記》等，神話故事如西王母、嫦娥奔月、天仙配、白蛇傳、麻姑獻壽和東方朔偷桃等。

五、戲齣類

我國的戲劇豐富多樣，除了全國性的京劇之外，幾乎各個地區都有自己的地方戲，多達三百多種，每個劇種都有一些膾炙人口的劇目。這類題材多是畫師根據戲劇舞臺的演出場景繪製的。

六、風情類

這類題材主要表現百姓的現實生活，是廣大民衆最爲熟悉的。表現勞動生產的如男十忙、女十忙、春牛圖和耕讀圖等，敬老育幼的如二十四孝圖、教子圖和祝福拜壽等，休閒娛樂的如正月十五鬧元宵、同樂新年、中秋賞月和十女放風箏等。

七、雜畫類

這類作品包括燈畫、窗畫、幡畫和月份牌年畫等。雖然這些作品并不全是嚴格意義上的年畫，但作品的意義和年畫是非常相近的。窗畫，包括彩印窗心畫、隔扇心畫、剪紙印畫、窗角畫和花鳥字等；燈畫，包括燈籠畫、宮燈畫、走馬燈畫和燈謎畫等；幡畫，包括彩印門箋（懸貼于門楣上）、重陽旗（插在重陽糕上或供兒童玩耍）、天香旗（中秋節插在斗香上）、拂塵紙（碗櫥、櫃門的懸挂紙）和桌圍畫（貼在方桌的一個側面，多爲喜慶儀式所用）等。

中國年畫的題材主要是驅邪避害、納福迎祥以及多子多壽等，是中國傳統觀念的形象化表現，這些表現主要體現在歲時歲令和人生禮儀中。在一年四季中，幾乎每月都有民俗活動，而其中許多節日都要貼飾年畫。正月初一，貼《新春大吉（雞）》，挂起家堂牌位，祭拜祖先。初二接財神，懸挂并祭供財神像。正月十五元宵節，挂《天官賜福》的中堂畫。二月二土地神生日，要祭拜土地神。二月三日文昌會，讀書人祭拜"文昌帝君"像。五月五日端午節，家家挂鍾馗像和張天師像，以鎮室辟邪。五月十三日，關公生日，商人祭奉關公像。六月廿四日，是清源妙道真君生日，樂籍、戲班供奉其像，尊之爲祖師。八月十五中秋節，焚燒"斗香"，供奉《月宮》年畫。冬至日張貼《九九消寒圖》，開始紀日消寒。臘月二十三日祭竈王，揭下當年竈王焚燒。三十除夕祭床神，貼祭天地神位并設供奉，貼竈王祭供，兒童玩《選仙圖》，用燈畫糊小方燈籠，貼門神，挂中堂，貼窗畫、炕頭畫，等等。

除節令以外，民間凡結婚、生子、入學、祝壽、遷居、收割、入倉、出行、航海，以及喪葬遭災等，也都貼飾相應的神像和吉祥畫，或者焚燒紙馬。實際上，年畫并非祇限于春節時張貼，有些要在相應的節令貼挂，祇是在春節張貼的最多而已。貼年畫，成了民俗活動的一個重要組成部分。

三、年畫的製作

中國最早的年畫應是手工繪成的。木版年畫在宋代開始出現。由于木版印刷可以大量複製，手繪年畫無法適應這種需要，便逐漸降到了次要的地位。而在隨後的一千年左右，木版年畫得到穩定發展，成爲中國年畫中最主要的種類。

木版年畫的印製方法，各地大體相同，祇有個別地區的做法稍異。一般說來，繪製年畫由刻版到印刷成畫有四道工序。第一步，畫師起稿和定稿後，用白描法畫在毛邊或薄綿紙上；第二步，刻工將畫稿的反面，用粉糊粘在刨平的梨木或桃木版上，將墨綫版刻出後，先印出幾幅墨綫畫樣；第三步，在畫樣上點出顏色，刻工再按點出的不同顏色，刻製出各種不同的彩色套印版（一般不超過五塊）；第四步，刷工將每幅年畫的墨綫和套色版準備齊全後，開始將白紙數百張壓在刷印畫案的固定位置上，再把畫版仰放在紙的左邊，用手翻紙，覆在塗匀顏料的畫版上，左手捺住紙角，右手用棕刷平刷畫版上面的紙背。如此一張一張在固定位置上將紙刷完，然後再換另一顏色版，依樣刷印，直到全部畫版刷完，成一幅畫後爲止。刷印色彩有先有後，一般先印墨綫，次黃色，再藍色（藍黃二色套印呈綠色）、紫色、橙色，最後是大紅，有的精品最後套印金粉。這種印製年畫的方法在全國各地作坊中占大多數，祇有天津楊柳青作坊印完套色版後，還要由畫工開相（即將人物的頭臉用七八道手工敷粉點唇，勾眉畫眼）和補空（没套印的衣飾等物）才算完活。

再有就是祇用木版印出墨綫，或印出後抹一道紅綠色，這種方法常是印製紙馬神像之類用。另外在四川綿竹和天津楊柳青年畫中，尚存一種不用版印的"過稿法"。"過稿"是畫師完成一幅畫稿後，既作爲底樣，然後用薄粉紙覆在底樣上，重描一遍，如此一而十、十而百，到滿足市場需要爲止。

四、年畫的體制樣式和功用

民間年畫是以裝飾門窗、居室、庭院和祈福祭神爲主的新年裝飾品，其體制樣式也多據庭院建築而設計，其中以門畫形式最多。這些體制樣式，根據貼飾的環境、部位以及時間的特定要求而形成，體現了年畫的實際功用。年畫的體制樣式主要有以下種類。

一、貢箋

也稱貢尖、工尖或宮間，初以貢箋紙印製，故名。在山東地區稱大橫披，在四川稱橫推。貢箋的畫幅較大，以全張粉簾紙印製，內容以戲齣較多，其次為風情和娃娃。場面較大，人物衆多。在不同地區，尺寸不盡相同。這一體裁在年畫中所占數量較大。

二、中堂

又稱立貢尖或板屏。尺寸與貢箋相同，祇是畫面更為豎立。內容為喜慶、祥瑞一類。貼於堂屋迎門的地方，有時也裱成卷軸式，并加楹聯。

三、對屏

中堂畫的雙幅形式為對屏。題材以戲齣、仕女和花卉為主，兩幅取對稱的樣式合在一起。背景為同一環境，也可分開，獨立成幅。

四、條屏

將一整張紙橫截二開長條，每組為四條或六條、八條。有時每條為一幅畫面，多為花卉和博古之類；有時每條分成三幅或四幅畫面，則多為連續性的戲齣故事。

五、三裁

俗寫成"三才"，即將整張紙裁為三開所印。橫向繪者叫"橫三才"，豎向繪者叫"豎三才"。"橫三才"也叫"小橫披"。山東地區流行小橫披，上繪戲齣、花卉、娃娃、風情及吉慶物。小橫披畫面表現手法較簡練，每幅上有一首順口溜，點明畫面主題，深為群衆所喜愛。這種年畫通常貼在炕頭牆上，因此也叫"炕頭畫"。

六、炕圍

尺幅與"橫三才"相同，內容也相近，但它以戲齣故事為多見。通常呈連續性的四幅為一組，四周有花邊裝飾。它貼於沿炕的三面牆上，以防粗糙的牆皮磨損被褥。

七、毛方子

俗名"炕窩子"、"婆婆眼"。它所畫的內容為娃娃，對稱的兩幅為一對，近於方形。在北方屋內，炕頭牆上稍高處有兩個牆洞，像小壁櫥一樣，內放雜物，叫做炕窩子或燈窩子。將毛方子貼在上面，作為簾子。所以，毛方子用紙比較講究，多用綿性強、拉力大的毛邊紙，故稱"毛方子"。這類年畫多畫娃娃，貼於新婚夫婦房中或婆婆屋內。

八、窗畫

貼在窗戶上的年畫。窗畫有兩種：一種是約10厘米見方，套印花卉、博古或戲齣人物，鏤刻剪下後貼于窗上，這種樣式流行于福建、廣東一帶；另一種是將畫幅直接貼在窗户上，內容與前一種相近，這種樣式流行于黃河中上游地區。

九、窗旁、窗頂

貼飾在窗子周圍的年畫。在農家房屋中，窗子爲引入注目的地方，所以多加裝飾。貼在窗户兩旁的年畫叫窗旁。窗旁爲條形，對稱兩條爲一對，內容爲瓶花和吉慶物。貼在窗頂上的年畫叫窗頂，內容與窗旁同，呈條形橫幅。

十、月光

又稱"圓光"，形如滿月，貼于窗户兩旁墻壁的背光處，有追求光明的意思。月光爲對稱的兩幅組成，有時，每幅又分上下兩部分，上爲扁額狀，下爲圓形。題材爲娃娃和吉慶類。

十一、曆畫

曆畫主要有以下種類：《九九消寒圖》、《春牛圖》、《廿四節氣圖》以及《三年早知道》等。民間年畫中的曆畫都標示每月的農時節令，以便于農事；同時，上面也繪有戲齣和風情等，把應用與觀賞結合起來。曆畫畫幅不大，一般爲四開或六開。印有二十四節氣的竈神畫貼在竈間，其他都貼于屋內門旁，以便隨時查閱。

十二、門童、美人條

貼在居室門上的門畫。"門童"即以娃娃爲題材的門畫，"美人條"則是以美人爲題材的門畫。門童和美人條畫幅都不太大，通常貼在婆婆、姑娘或新媳婦的房門上。

十三、門神

主要是指貼在院門口大門上的文門神和武門神。

十四、神像

神像皆爲供奉所用。最流行的有竈王、天地神、財神、家神、土地神，以及花神、蠶姑、藥王等職業神。這些神像都有固定的圖形樣式，有固定的龕位，年節之際，除舊布新，并予以焚香禮拜。

十五、甲馬

也稱紙馬和貴人祿馬。全國各地的年畫作坊都刻印甲馬，上印各種民神，種類繁多，畫幅較小。甲馬用版印黑綫，再塗以紅、黃色，或在紅、黃紙上直接印刷而成。舊時于年節期間購來祭祀，祭畢焚燒。

十六、符籙

包括瑞符和護符，以及藏族佛教中的齋牒、嘛呢旗等。這類年畫中不出現神的形象，祇是一些符號、文字或祥瑞圖案。舊俗以爲用符籙可以與神靈溝通信息，得到護佑。這些符籙買回以後，作短暫供奉，然後加以焚化。

十七、槽頭畫、欄門判

用來貼在牛棚馬厩的門欄、槽頭或者車轅上的年畫叫槽頭畫，包括牛子（貼于牛棚）、避馬瘟（貼于馬厩）等，圖繪與牲畜有關的圖形，以祈保牛馬平安，行車無恙。欄門判也叫"打猪鬼"，形似鍾馗，貼在猪圈、羊圈的門欄上，用以驅除灾禍，保佑家畜健壯，繁衍多産。這類年畫畫幅一般都不大。

十八、斗方

四邊等長的菱形年畫。過去量米的衡器"米斗"爲方形，故稱之爲"斗方"。斗方上繪娃娃和祥瑞内容，或寫"福"、"壽"、"春"等漢字，寓意吉祥。其規格大小不一，貼飾在米囤、錢櫃、水缸、門頭等處。也有用來作貼糊影壁燈之用的，稱"福字燈"。

十九、桌圍

亦名桌幃、桌裙。新年或逢喜壽節日，富人家在供桌前圍挂綉花桌簾。一般農民無錢製作，衹好買印製的年畫代替。桌圍爲適于八仙桌大小的正方形畫面，外框稍寬，以便貼挂。内容爲吉慶類。

二十、燈畫

燈畫有兩種：一爲糊製燈籠所用，舊時于除夕之夜和元宵節，門前要懸挂燈籠，用以驅邪；另一種用于走馬燈上，即將畫上人物剪下，安在走馬燈的火扇上。兩種燈畫的題材均以戲齣爲主，亦有花卉和風情一類。

二十一、拂塵紙

一種用做遮簾的年畫。横長，多畫戲齣故事、花卉和博古，貼在室内碗櫃、櫥格、被褥格及什物上，以遮擋塵土，并作裝飾。拂塵紙主要流行于晋南地區。

二十二、升官圖

也叫選仙圖、彩選格或逍遥圖。江蘇稱消消氣，福建和廣東叫葫蘆悶，山東叫鳳凰棋。始于唐代的一種玩具，上繪人物（明代以後流行水滸人物）、八仙寶器、國内名橋及兒童玩具等，供農民年閑時娱樂所用。

二十三、馬吊牌

也叫紙牌。年閑賭戲所用。四十頁爲一具，内分"索子"、"文錢"、"萬貫"等四門。其上多繪水滸人物，亦繪其他歷史人物或神話人物。

二十四、花紙

也叫頂棚紙、炮仗紙。上面印有二方連續或四方連續的祥瑞圖案。花紙多爲對開大小，農民在布置房間時用來裱糊屋頂，製作鞭炮的外皮，有時亦作包裝紙，類似今天的壁紙或裝飾紙。

五、年畫的產區和特色

中國年畫產區分布十分廣泛，各地年畫既相互影響、交融，又具有各自的特點。可以將中國年畫的主要產區劃分爲八個大的區域。

一、華北地區

北京年畫大宗的是門神及各種神像。大門神可高達一米，構圖飽滿集中，以紅、黃、藍、綠四色套印。有少數門畫及燈畫爲手繪，與傳統工筆重彩畫無异。

華北年畫以天津楊柳青年畫最爲著名，爲中國北方地區年畫的中心。楊柳青年畫始于明代，永樂年間大運河重新疏通，南方精緻的紙張、顏料運到了楊柳青，使這裏的產品得到發展。從清代雍正、乾隆年間至光緒初期爲楊柳青年畫的全盛時期，這一時期楊柳青全鎮連同附近的三十多個村子，"家家會點染，户户善丹青"，畫樣（粉本）有幾千種，畫店鱗次櫛比，各地商客絡繹不絶。第二次鴉片戰争以後，楊柳青年畫走向衰落。

楊柳青年畫取材内容極爲廣泛，諸如歷史故事、神話傳奇、戲劇人物、世俗風情以及山水花鳥等，特别是那些與人民生活密切關聯的題材，以及帶有時事新聞性質的題材等，令人感到尤爲親切、新鮮。畫面人物形象秀美，色調絢麗典雅，風格鮮明活潑，氣氛喜氣吉祥。楊柳青年畫繼承宋、元繪畫傳統，吸收了明代木刻版畫、工藝美術、戲劇舞臺的形式，采用木版套印和手工彩繪相結合的方法製作。先用木版雕出畫面綫紋，然後用墨印在上面，套過兩三次單色版後，再以彩筆填繪，既有版味、木味，又有手繪的色彩斑斕效果與工藝性。而且還由于彩繪藝人的表現手法不同，同樣一幅楊柳青年畫坯子（未經彩繪處理的墨綫或套版的半成品），可以分别畫成精描細繪的"細活"，和豪放粗獷的"粗活"，藝術風格迥然不同，各具特色。

楊柳青年畫行銷華北各省及東北、山東等地。在中國版畫史上，楊柳青年畫與南方著名的蘇州桃花塢年畫并稱"南桃北柳"。

河北年畫的主要產地有武强、邯鄲、大名、寧河（現劃歸天津市），其中以武强爲代表。武强年畫明代初期形成規模，到清康熙至嘉慶年間進入鼎盛時期，清代末期雖已漸衰，但在武强縣南關有字號可考的畫店仍有一百多家，產品行銷當時大半個中國。

武强年畫題材廣泛，形式多樣，具有濃鬱的鄉土氣息。題材以戲齣類爲主，除一般形式外，還有燈畫，燈畫中多含有謎語，爲其一大特點。作品構圖飽滿，主題突出，結構緊凑，綫條粗獷，兼施黑、紅、綠、黃、紫、粉等色，對比明快，極富有裝飾性。尤以大刀闊斧粗獷自然的刻法見長，以陽刻爲主，有的兼施陰刻，運用黑白對比，表現出刀味木趣，筆情墨意，形成獨特的古樸而稚拙的風格。

二、山東地區

山東地區的年畫産地分布很廣。魯西一帶有聊城、舊壽張、陽谷、舊堂邑和冠縣，膠東一帶有平度、高密、濰縣，此外還有泰安和曲阜。魯西各縣首推東昌府（今屬聊城地區）年畫，傳説始于明代，受河南朱仙鎮年畫的影響。由于這一地區地瘠民貧，且重于民俗，故門神及各種神像産銷最多。藝術上的表現特徵是綫條簡練、剛勁，全部套印，不開臉敷彩。

山東東部以濰縣楊家埠年畫爲代表。楊家埠年畫興起于明代，發展初期受到楊柳青年畫的影響；清代達到鼎盛期，曾一度出現"畫店百家，畫種過千，畫版上萬"的盛景，産品流布全國各地。楊家埠木版年畫題材廣泛，表現內容豐富多彩，既有門神類、神像類、美人條、童子、山水花鳥、戲劇人物和神話傳説等，同時也有反映民間生活、針砭時弊的作品，但喜慶吉祥是楊家埠年畫的主題。楊家埠年畫的製作工藝別具特色。藝人首先用柳枝木炭條、香灰作畫，名爲"朽稿"，在朽稿基礎上再完成正稿，描出綫稿，反貼在梨木版上供雕刻，分別雕出綫版和色版，再經過調色、夾紙、兌版、處理跑色等，手工印刷。年畫印出來後，還要手工進行簡單描繪，補點上各種顔色，以使年畫顯得自然生動。

平度年畫與楊家埠年畫接近，以戲齣類爲多。高密的撲灰年畫別具特色，造型比較寫實，多用桃紅和綠色，用整開紙印出的"大挂畫"，粉臉敷彩描金，爲高密所僅有。曲阜一帶以門神爲多，孔府的門神都是手繪，將黑色作爲主色。

三、晉陝地區

山西年畫主要有晉南和晉北兩個體系。晉南年畫自金代發源于平陽府（今臨汾），擴及洪洞、襄汾、侯馬、新絳、稷山、河津等地。除一般門神、紙馬、貢箋外，産量很大的拂塵紙與燈畫最具特色。晉北年畫集中在大同、應縣一帶，亦以窗畫爲代表，内容多是戲齣。早期祇用重墨和淡墨爲版，無顏色，後來才有色版，以五種色彩套印。山西年畫造型粗獷，色彩艷麗，主題突出，呈現出豪放、明快、灑脱的風格。

陝西年畫産地主要分布在漢中、鳳翔、神木和蒲城等地，以鳳翔年畫最爲著名。年畫品種以門神爲主，各種門神樣式達四十多種，此外還有娃娃、風情、戲齣及神像等類。陝西年畫風格樸拙，色彩鮮明而強烈，具有自身的風貌，行銷到甘肅、四川、雲南、西藏和寧夏諸地。

四、豫皖湘鄂地區

　　河南年畫產區爲開封、靈寶、鄭州、洛陽、周口鎮等地，其中開封朱仙鎮年畫最具有代表性。朱仙鎮年畫歷史悠久，始于北宋年間。北宋時期每逢過年過節，特別是過春節，家家戶戶貼門神已成爲一種風尚，後來北宋沒落、滅亡，開封幾經戰亂，年畫製作便衰落下來。到了明代，開封年畫復興，製作中心逐漸轉移到朱仙鎮，成爲中原及華中地區的年畫中心。明、清時期，朱仙鎮有三百多家木版年畫作坊，至清末仍有七十多家。每年九月九日，在岳飛廟聚市，周圍的幾個省商販都趕來購買，其作品暢銷各地。朱仙鎮年畫題材以門神和神像類爲主，最多的就是門神，門神中多表現秦瓊、尉遲敬德兩位武將。戲齣故事最有特色，畫幅不大，以人物爲主，背景極簡單，富于裝飾性。朱仙鎮年畫製作主要分爲陰刻、陽刻兩種，有黑白畫和套色畫兩種形式，采用的是手工水印。色彩多用橙、深綠、大黃，衹套印而不繪。

　　安徽年畫分布在阜陽、臨泉、亳縣、宿縣、蕪湖、界首、太和等地。臨泉、阜陽一帶的年畫由河南朱仙鎮傳入，蕪湖一帶則更多地受到蘇州桃花塢年畫的影響。安徽年畫與朱仙鎮年畫相近，比之更加細膩工整。湖南以隆回縣灘頭鎮年畫爲代表，灘頭年畫初由四川、貴州傳入，後來形成獨特畫法，即將毛邊紙先刷白粉，然後套色，後印綫版，最後用筆蘸紅色染暈人物雙頰，自成一體。湖北年畫產地有均縣、孝感、武漢、黃陂，題材以花鳥、太師（獅）、少師（獅）爲多，刻工深厚古樸，畫幅較小。

五、江浙地區

　　江蘇年畫產地較多，有蘇州、南京、徐州、南通等地。蘇州桃花塢年畫始于明代萬曆年間，盛于清代雍正、乾隆年間，每年出產的木版年畫達百萬張以上，爲南方年畫的中心。太平天國末年，清兵圍攻蘇州，桃花塢年畫生產受到了嚴重的破壞，以後一直萎靡不振。

　　桃花塢年畫主要有門畫、中堂和屏條等形式，題材廣泛，門神類、吉祥喜慶類、民俗生活、戲齣故事、花鳥蔬果和風情時事皆有表現。作品構圖飽滿，畫面精細，色彩鮮艷。從現存的作品來看，早期的桃花塢年畫風格是較爲雅致的，在處理仕女、什景、花卉等題材時，多采用傳統的立軸和冊頁的構圖形成，在畫面的經營上，可以看出宋代院體畫、明代界畫和文人畫的影響。在清代雍正、乾隆年間，還出現了不少模仿西洋銅版雕刻風格的作品，這類的作品在畫面上，多使用焦點透視和明暗來表現。乾隆以後，這樣的作品已不多見，取而代之是以傳統技法表現的作品，畫面構圖簡練大方，綫條剛勁有力，色彩也開始鮮明起來，如《五子登科》、

《莊子傳》、《珍珠塔》、《蕩湖船》和《拜月圖》等。從這些畫面上，可以看出早期金陵派刻版風格和新安派刻版風格的影響。製作上，桃花塢年畫係用一版一色的木版套印方法印刷出來，工藝精美。製作一般分爲畫稿、刻版、印刷、裝裱和開相五道工序，其中刻版工序又分上樣、刻版、敲底和修改四部分，套色印刷程序主要包括看版、衝色配膠、選紙上料（夾紙）、摸版、扦紙、印刷、夾水等步驟。一幅畫要套印四、五次至十幾次，有的還要經過描金、掃銀、敷粉等工序。在色彩上，有桃紅、大紅、藍、紫、綠、淡墨、檸檬黃等諸色。桃花塢年畫曾流行江蘇、上海、浙江等處，遠銷湖北、河南、山東各地，并流傳到國外。

南通、杭州等地年畫多由蘇州傳入，但有改造。南通年畫喜用大紅、品綠、紫、藍，在大面積的服飾上加印金銀花紋，總體印製比較粗簡，成本稍低而頗受蘇北農民歡迎。上海在民國時期出現了不少改良年畫，先是石版印刷興起，繼而又出現月份牌年畫，使傳統木版年畫趨于衰落。浙江年畫集中在杭州、餘杭，種類以神像、紙馬爲主，綫條較纖細，造型平和溫雅，色版有濃淡二種，濃版呈斑點狀。

六、四川地區

四川年畫產區分布在夾江、梁平、成都、簡陽、綿竹等地，綿竹年畫產銷量最大。綿竹年畫綫印但無套色版，先印墨綫，後以手工填色、開相。在多年的承傳和延續中，創製有"明展明挂"、"勾金"、"印金"、"常行"、"填水足"等粗細不等、繁簡有別的不同樣式。綿竹年畫還有"紅貨"與"黑貨"之分。紅貨指彩繪年畫，包括門畫、斗方、畫條；黑貨是指以烟墨或硃砂拓印的木版拓片，多爲山水、花鳥、神像及名人字畫，此類以中堂、條屏居多。夾江以當地所產夾紙而著名，夾江年畫習用章丹、木紅、槐黃、佛青四種礦、植物色套印，陰雨天色彩格外鮮明，故民間以爲夾江門神尤具驅逐鬼魅之象徵意味，稱之爲"黃丹門神"。

七、兩廣地區

廣東年畫產地集中在佛山、新會、庵埠、澄海等地。佛山爲華南繁華的商業中心，中國四大名鎮之一。據傳，每年臘月在開平單水口批發年畫，轉銷到周圍各省。佛山年畫始于明代，盛于清乾隆、嘉靖年間。此地年畫分原畫、木印、木印工筆三種，包括門畫、神像畫兩大類。其特點是綫條剛勁、粗放、簡練，有木刻趣味。設色多使用大紅、橘紅、黃、綠等色，有的還吸收了當地銅襯剪紙藝術的特色，在畫中人物的盔甲袍帶上加飾金銀花紋，使神像金碧輝煌，這種強烈的裝飾風格可謂佛山年畫的一大特色。庵埠、澄海盛產紙馬，俗稱"南金"，是一種求財興旺的信仰品。

廣西年畫主要產于桂林、全州、南寧、東興等地。桂林年畫始于乾隆年間，後來有所改進，以門神、門童、祥瑞題材爲主，色彩以紅、藍爲主，黃色很少，色調凝重。

八、閩臺地區

福建年畫的產地爲泉州、漳州、福鼎、福安等。泉州古稱"佛國"，因當地多有刻印佛像、神符而得名。泉州年畫盛于乾隆年間，以玉扣（竹）紙印刷，先以色套印，再印墨綫。顏料爲土製，主要有黃、丹、紅、佛青、黑五色，用白土粉作填充劑。漳州年畫與泉州近似，漳州門畫都以紅紙印刷，以作門額畫或艙門畫。臺灣歷史上曾爲福建之一府，年畫最初是從泉州和漳州傳入的，樣式以門神爲主，也有神像、戲齣、瑞符等，風格與福建年畫相似，一些紙馬則更爲簡括。

六、年畫的研究

中國年畫的研究，始于外國人的獵奇和收集。他們研究中國年畫，主要是爲了研究中國的民間風俗和信仰。鴉片戰爭（公元1800年）之前，英國人就出版了《中國風俗畫集》一書，其後有法國、俄國、德國和日本等國的學者關注中國年畫和風俗的研究，出版了《中國美術中祈願之表現》、《中國財神》、《支那民間之神》等著作，并在日本出版了《支那古版畫圖錄》等一些美術圖錄。中國學者對年畫的收集和研究開始于民國初期，魯迅、鄭振鐸、張光宇和鍾敬文等老一輩學者，均提倡研究民間藝術，但由于當時條件所限，研究工作并未廣泛展開。新中國建立後，民間藝術得到了國家的重視，年畫作爲民間藝術的一個重要組成部分，得到了美術史家和畫家的廣泛重視，成爲繼承和發揚優良藝術傳統的重要源泉。其後，經過了一段長時間的沉寂。改革開放後，年畫的研究又呈現出欣欣向榮的局面，出版了一大批優秀的研究成果。專著方面有《中國各地年畫研究》（王樹村）、《中國民間年畫史論集》（王樹村）、《中國年畫史》（薄松年）等；資料圖錄性的圖書更加豐富，有《中國美術全集·民間年畫》（王樹村主編）、《中國民間美術全集·年畫卷》（鄧福星主編）、《中國民間年畫史圖錄》（王樹村）、《中國民間年畫選》（薄松年）、《中國門神畫》（薄松年）、《楊柳青年畫》、《楊家埠木版年畫》、《蘇州桃花塢木版年畫》和《蘇聯藏中國民間年畫珍品集》等等。中國年畫的研究在國際上也更加受到重視，日本、德國、法國和美國等國都陸續出版了有關圖書。

爲了保護和傳承中國偉大的文化傳統，中國政府實行了"國家級非物質文化遺產保護項目"，在第一批保護名錄中，衆多年畫種類被列入其中，他們是：天津楊柳青年畫、河北武強年畫、江蘇桃花塢年畫、福建漳州年畫、山東楊家埠年畫、山東高密撲灰年畫、河南朱仙鎮年畫、湖南灘頭年畫、廣東佛山年畫、重慶梁平年畫、四川綿竹年畫和陝西鳳翔年畫。相信在政府的保護和推動下，中國古老的年畫藝術一定會煥發出新的風采！

邢振齡

目　　　錄

北京地區

頁碼	名稱	時代	產地
3	黃帝神像	明	北京
4	門神	明	北京
6	宮廷武門神	清	北京
8	門神	清	北京
10	五穀豐登文門神	清	北京
12	天官賜福	清	北京
13	八仙慶壽	清	北京
14	上天竈君	清	北京
15	廣寒宮	清	北京
16	拿花蝴蝶	清	北京
16	蓮花湖	清	北京
17	西域樓閣圖	清	北京
17	多寶格景	清	北京

天津地區

頁碼	名稱	時代	產地
18	門神	清	天津楊柳青
20	錦地門神	清	天津楊柳青
22	鍾馗	清	天津楊柳青
24	三星門神	清	天津楊柳青
25	福在眼前	清	天津楊柳青
26	竈神	清	天津楊柳青
27	萬象更新	清	天津楊柳青
28	新年多吉慶	清	天津楊柳青
30	萬國來朝	清	天津楊柳青

1

頁碼	名稱	時代	產地
30	慶賞元宵	清	天津楊柳青
31	吉慶有餘	清	天津楊柳青
32	金壽童子	清	天津楊柳青
34	麒麟送子	清	天津楊柳青
34	福壽三多	清	天津楊柳青
35	連年有餘	清	天津楊柳青
35	琴棋書畫	清	天津楊柳青
36	鬧學頑戲	清	天津楊柳青
38	十不閑	清	天津楊柳青
38	竹報平安	清	天津楊柳青
39	福壽康寧	清	天津楊柳青
39	金玉奴棒打薄情郎	清	天津楊柳青
40	婚慶圖	清	天津楊柳青
41	四美釣魚	清	天津楊柳青
41	謝庭咏絮	清	天津楊柳青
42	仕女戲嬰圖	清	天津楊柳青
44	游春仕女圖	清	天津楊柳青
46	荷亭消夏	清	天津楊柳青
48	藕香榭吃螃蟹	清	天津楊柳青
50	綉補圖	清	天津楊柳青
51	訪友圖	清	天津楊柳青
52	行旅圖	清	天津楊柳青
54	莊家忙	清	天津楊柳青
56	精忠傳	清	天津楊柳青
58	幽王烽火戲諸侯	清	天津楊柳青
58	馬跳檀溪	清	天津楊柳青
59	趙雲截江奪阿斗	清	天津楊柳青
59	程咬金搬兵	清	天津楊柳青
60	定軍山	清	天津楊柳青
62	白蛇傳	清	天津楊柳青
64	盜仙草	清	天津楊柳青
64	三岔口	清	天津楊柳青
65	四季平安	清	天津楊柳青

河北地區

頁碼	名稱	時代	產地
66	門神	清	河北武強縣
68	五子天官	清	河北武強縣
70	天地人三界全神	清	河北武強縣
71	財神賜福	清	河北武強縣
72	下山虎	清	河北武強縣
73	鎮宅神英	清	河北武強縣
73	九九消寒圖	清	河北武強縣
74	陶潛愛菊	清	河北武強縣
74	太白醉酒	清	河北武強縣
75	猴戲	清	河北武強縣
75	猴官	清	河北武強縣
76	渭水河	清	河北武強縣
77	龍鳳配 回荊州	清	河北武強縣
77	胡金蟬大戰楊令	清	河北武強縣
78	穆桂英大破天門陣	清	河北武強縣
78	大破衝宵樓	清	河北武強縣
79	武松單膀擒方臘	清	河北武強縣
79	岳飛傳	清	河北武強縣
80	打金枝	清	河北武強縣
81	三俠五義	清	河北武強縣
82	富壽年豐	清	河北武強縣
84	馗頭	清	河北武安縣
85	李自成稱王	清	河北寧河縣
85	白虎關	清	河北寧河縣

山東地區

頁碼	名稱	時代	產地
86	門神	清	山東濰坊市楊家埠
88	五子天官	清	山東濰坊市楊家埠
90	三星門神	清	山東濰坊市楊家埠
91	劉海戲金蟾	清	山東濰坊市楊家埠
92	麒麟送子	清	山東濰坊市楊家埠
94	竈君	清	山東濰坊市楊家埠
95	搖錢樹	清	山東濰坊市楊家埠
96	蟠桃大會	清	山東濰坊市楊家埠
98	春牛圖	清	山東濰坊市楊家埠
98	二月二龍抬頭	清	山東濰坊市楊家埠
99	十子鬧春	清	山東濰坊市楊家埠
99	男十忙	清	山東濰坊市楊家埠
100	女十忙	清	山東濰坊市楊家埠
100	群猴搶桃	清	山東濰坊市楊家埠
101	走馬薦諸葛	清	山東濰坊市楊家埠
101	呂岳法寶勝姜尚	清	山東濰坊市楊家埠
102	李逵奪魚	清	山東濰坊市楊家埠
102	許仙游湖	清	山東濰坊市楊家埠
103	金山寺	清	山東濰坊市楊家埠
103	沈萬三打魚	清	山東濰坊市楊家埠
104	猴子騎羊	清	山東濰坊市楊家埠
104	當朝一品	清	山東濰坊市楊家埠
105	富貴平安 連生貴子	清	山東濰坊市楊家埠
106	四時花鳥圖	清	山東濰坊市楊家埠
107	酒醉八仙圖	清	山東
107	富貴滿堂	清	山東平度市
108	增福財神	清	山東平度市
109	和合二仙	清	山東平度市
109	魚引龍錢	清	山東平度市

頁碼	名稱	時代	產地
110	瓜瓞富貴	清	山東平度市
112	空城計	清	山東平度市
112	大戰長坂坡	清	山東平度市
113	虎牢關三英戰呂布	清	山東平度市
113	龍鳳配 回荊州	清	山東平度市
114	天女散花	清	山東高密市
116	九獅圖	清	山東高密市
117	借傘	清	山東高密市
118	春夏秋冬 牛郎織女	清	山東高密市
120	八仙墨屏	清	山東高密市
121	博古墨屏	清	山東高密市

河南地區

頁碼	名稱	時代	產地
122	大刀門神	清	河南盧氏縣
124	天官童子	清	河南盧氏縣
126	大刀門神	清	河南開封市朱仙鎮
127	進寶力士	清	河南開封市朱仙鎮
128	和合二仙	清	河南開封市朱仙鎮
129	馗頭	清	河南開封市朱仙鎮
130	鎮宅鍾馗	清	河南開封市朱仙鎮
131	天仙送子	清	河南開封市朱仙鎮
132	劉海戲蟾 瓜瓞綿綿	清	河南開封市朱仙鎮
133	五子奪魁	清	河南開封市朱仙鎮
134	天河配	清	河南開封市朱仙鎮
135	飛虎山	清	河南開封市朱仙鎮
136	九龍山	清	河南開封市朱仙鎮
137	對金抓	清	河南開封市朱仙鎮
138	長坂坡	清	河南開封市朱仙鎮
139	壽州城	清	河南開封市朱仙鎮
140	三娘教子	清	河南開封市朱仙鎮

頁碼	名稱	時代	產地
142	渭水河	清	河南開封市朱仙鎮
143	三女俠	清	河南開封市朱仙鎮

山西地區

頁碼	名稱	時代	產地
144	立刀門神	清	山西晉南地區
146	禄壽門神	清	山西晉南地區
148	奎頭	清	山西晉南地區
149	文武財神	清	山西晉南地區
150	嬰戲圖	清	山西晉南地區
151	春牛圖	清	山西新絳縣
152	騎雞娃娃	清	山西新絳縣
154	蝶戀花	清	山西臨汾市
154	大吉圖	清	山西臨汾市
156	秦香蓮	清	山西洪洞縣
157	琴棋書畫	清	山西應縣

陝西地區

頁碼	名稱	時代	產地
158	門神	清	陝西漢中市
160	門神	清	陝西鳳翔縣
162	門神	清	陝西鳳翔縣
164	靈寶神判	清	陝西鳳翔縣
165	張天師驅五毒	清	陝西鳳翔縣
166	避馬瘟	清	陝西鳳翔縣
167	避馬瘟	清	陝西鳳翔縣
168	萬象更新	清	陝西鳳翔縣
169	女十忙	清	陝西鳳翔縣

頁碼	名稱	時代	產地
170	魚樂圖	清	陝西鳳翔縣
171	無雙贈珠	清	陝西鳳翔縣
171	李逵奪魚	清	陝西鳳翔縣
172	回荊州	清	陝西鳳翔縣

江蘇地區

頁碼	名稱	時代	產地
174	門神	清	江蘇蘇州市桃花塢
176	鍾馗	清	江蘇蘇州市桃花塢
178	五子門神	清	江蘇蘇州市桃花塢
179	三星圖	清	江蘇蘇州市桃花塢
180	天師鎮宅	清	江蘇蘇州市桃花塢
181	魁星點斗	清	江蘇蘇州市桃花塢
182	衆神圖	清	江蘇蘇州市桃花塢
183	八仙慶壽	清	江蘇蘇州市桃花塢
184	壽字圖	清	江蘇蘇州市桃花塢
185	福字圖	清	江蘇蘇州市桃花塢
186	歲朝圖	清	江蘇蘇州市桃花塢
187	榴開百子	清	江蘇蘇州市桃花塢
188	百花點將	清	江蘇蘇州市桃花塢
189	五子奪魁	清	江蘇蘇州市桃花塢
190	花開富貴	清	江蘇蘇州市桃花塢
191	九獅圖	清	江蘇蘇州市桃花塢
192	百子圖	清	江蘇蘇州市桃花塢
193	百子全圖	清	江蘇蘇州市桃花塢
194	琵琶有情	清	江蘇蘇州市桃花塢
195	簾下美人圖	清	江蘇蘇州市桃花塢
196	提籃美人圖	清	江蘇蘇州市桃花塢
197	采茶春牛圖	清	江蘇蘇州市桃花塢
197	上海火車站	清	江蘇蘇州市桃花塢
198	姑蘇閶門圖	清	江蘇蘇州市桃花塢

頁碼	名稱	時代	產地
199	姑蘇報恩進香	清	江蘇蘇州市桃花塢
200	十二花神	清	江蘇蘇州市桃花塢
201	金雞報曉	清	江蘇蘇州市桃花塢
202	黃貓銜鼠	清	江蘇蘇州市桃花塢
203	西廂記	清	江蘇蘇州市桃花塢
204	戲劇十二齣	清	江蘇蘇州市桃花塢
205	金槍傳楊家將	清	江蘇蘇州市桃花塢
205	唐伯虎點秋香	清	江蘇蘇州市桃花塢
206	盆景百花演戲	清	江蘇蘇州市桃花塢
206	玉麒麟	清	江蘇蘇州市桃花塢
207	武松血濺鴛鴦樓	清	江蘇蘇州市桃花塢
207	穆桂英大破天門陣	清	江蘇蘇州市桃花塢
208	花果山猴王開操	清	江蘇蘇州市桃花塢
208	蕩湖船	清	江蘇蘇州市桃花塢
209	四望亭捉猴	清	江蘇蘇州市桃花塢
210	五子奪魁	清	江蘇揚州市
211	麒麟送子	清	江蘇南京市

四川湖南安徽浙江地區

頁碼	名稱	時代	產地
212	門神	清	四川綿竹市
214	門神	清	四川綿竹市
216	趙公鎮宅	清	四川綿竹市
217	壽天百祿	清	四川綿竹市
218	門神	清	四川梁平縣
220	穆桂英	清	四川夾江縣
222	鯉魚跳龍門	清	四川夾江縣
223	水滸選仙圖	清	四川成都市

頁碼	名稱	時代	產地
224	門神	清	湖南隆回縣灘頭鎮
226	五子門神	清	湖南隆回縣灘頭鎮
227	和氣致祥	清	湖南隆回縣灘頭鎮
228	花園贈珠	清	湖南隆回縣灘頭鎮
229	老鼠嫁女	清	湖南隆回縣灘頭鎮
229	老鼠嫁女	清	安徽臨泉懸
230	李白解表	清	安徽阜陽市
230	十字坡	清	安徽阜陽市
231	大破連環馬	清	安徽阜陽市
231	鬧天宮	清	安徽阜陽市
232	蠶神圖	清	浙江杭州市餘杭區
233	酒中仙聖	清	浙江杭州市餘杭區

福建廣東廣西地區

頁碼	名稱	時代	產地
234	門神	清	福建漳州市
236	富貴香祀天官	清	福建漳州市
237	累積資金	清	福建漳州市
237	指日高升	清	福建漳州市
238	紡織圖	清	福建漳州市
239	九流圖	清	福建漳州市
239	空城計	清	福建漳州市
240	雙鳳奇緣	清	福建漳州市
241	斗柄回寅	清	福建漳州市
242	五福圖	清	福建泉州市
243	鎮虎圖	清	福建泉州市
244	三星圖	清	福建泉州市
245	賜麟兒 狀元及第	清	廣東佛山市
246	紫微正照	清	廣東佛山市
247	鳳凰戲牡丹	清	廣東佛山市
248	福壽全	清	廣東佛山市

頁碼	名稱	時代	產地
249	東方朔	清	廣西桂林市
250	年　表		

年　畫

[年畫]

黃帝神像

明
出于北京。
絹本筆繪。

此圖表現黃帝及衆天神于雲間天宮的形象。舊時過新年民間常懸此像，并備齊香蠟供品，謝祖酬神，以祈來年財運興隆。

北京地區

[年　畫]

門神
明
出于北京。

圖中門神爲秦瓊和尉遲恭。秦瓊、尉遲恭爲輔佐唐太宗（李世民）平天下建立唐朝之名將。

[年 畫]

北京地區

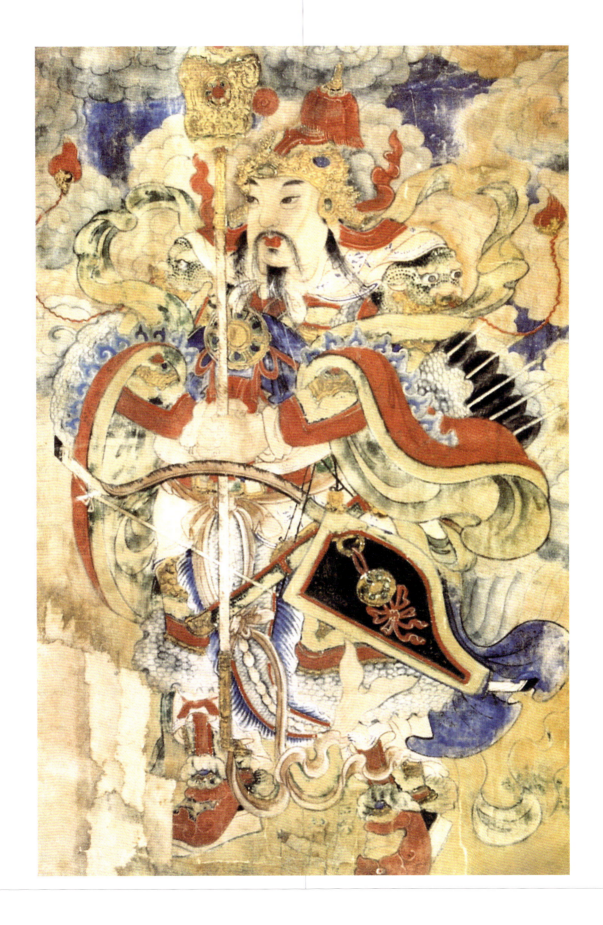

[年畫]

北京地區

宮廷武門神
清
出于北京。
畫面中二武將身材魁梧，戴盔，披鎧甲，穿雲頭戰靴，佩弓囊箭袋。

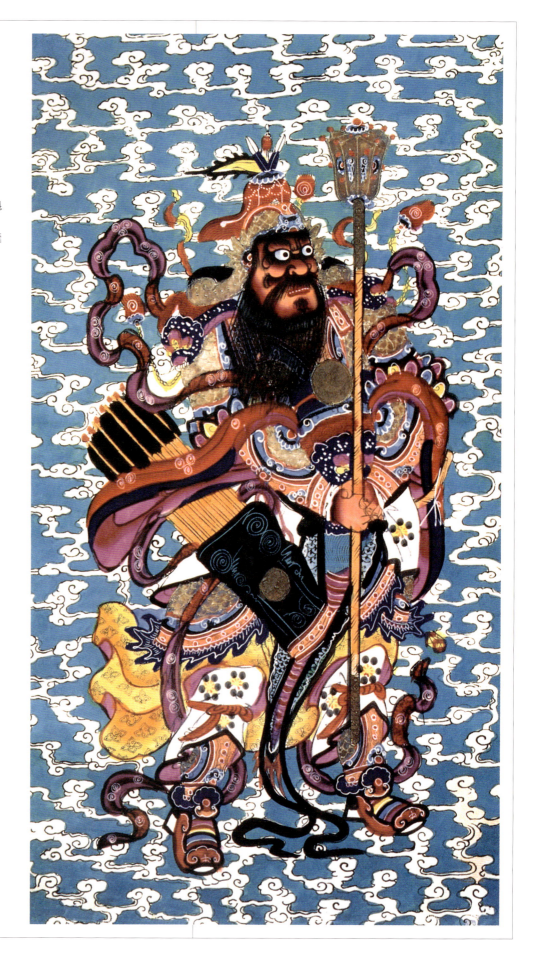

【年畫】

北京地區

[年畫]

門神
清

出于北京。

民間畫師運用傳統重彩畫法,勾粉描金,退暈染色,頗似中國古代寺廟神像彩塑的畫法。民間門神所及人物除神荼、鬱壘、鍾馗、秦瓊和尉遲恭外,還有許多神話及歷史人物。

【年畫】
北京地區

[年畫]

五穀豐登文門神
清
出于北京。

門神面相慈善親切，五綹長髯飄拂，一手捧笏板，另一手拈仙霧，霧中有燈、蜜蜂和糖葫蘆等，比喻"五穀豐登"之意。

【年畫】
北京地區

[年畫]

天官賜福
清

出于北京。

圖中一懷抱如意之天官，旁立一抱瓶童子，瓶中插折枝牡丹，喻天官賜福、平安富貴之意。

八仙慶壽

清

出于北京。

圖中壽星居正座,兩旁列天官、祿星及侍奉童子,座下八仙及白猿獻桃,以示慶壽之意。

[年畫]

上天竈君
清
出于北京。
畫面上部中間刻印"南天門",門兩側對畫竈君拱手騎坐于馬上,外有五色祥雲伴隨。下有雕梁畫枋,中刻"東廚司命",兩邊分刻"福水"、"善火"等字,竈君夫婦捧圭并坐于下。神案之上,有香爐蠟燭。神案之下,有一聚寶盆,一婦人抱子在取盆中珍寶。另一婦人在燃柴治饌,一男童手端一盤饅頭。

廣寒宮
清
出于北京。
畫面下部玉兔搗藥于桂樹旁，後有宮殿，上刻"廣寒宮"三字。上部有關羽騎赤兔馬立于橋前，曹操拱手，士卒捧袍，表現關羽挂印封金，保劉備夫人出許都，曹操趕來，贈錦袍于灞橋之故事。

[年畫]

北京地區

拿花蝴蝶
清
出于北京。
表現《三俠五義》中翻江鼠蔣平伏于板橋下，與衆俠合力捉拿花蝴蝶姜永志的故事。

蓮花湖
清
出于北京。
取材于民間故事，畫面爲韓秀戰衆雄之場景。

[年畫]

北京地區

西域樓閣圖

清

出于北京。

此圖以藍色爲基調繪製一樓臺池閣圖，頗類清真古教之禮拜寺。

多寶格景

清

出于北京。

此類年畫特爲適應西北兄弟民族生活信仰而繪製，以花卉盆景、瓜果桃盤、茶碗水盂、綫裝古籍等陳放于木架格内，不畫有生息的動物，以示尊重民族風俗。

[年畫]

門神
清
出于天津楊柳青。

此圖以粗綫大筆繪印秦瓊、尉遲恭二人形象,筆法潑辣、勁爽,俗稱"畫五尺門神"。

【 年 畫 】

天津地區

[年　畫]

錦地門神
清
出于天津楊柳青。
圖中握鞭者爲尉遲恭，手持雙鐧者爲秦瓊，二人甲冑相似，精神威武。人物之外，繪朵雲和暗八仙等圖案。

【年畫】天津地區

[年畫]

鍾馗
清

出于天津楊柳青。

鍾馗是門神畫中又一個能捉鬼辟邪的神化人物。

【年畫】

天津地區

[年　畫]

三星門神
清

出于天津楊柳青。

三星，指福星、祿星和壽星。圖中福星雙手捧如意居中站立，祿星和壽星分站左右，其中祿星懷抱童子。二童子立于三星身前，一童子手舉壽桃，一童子手持花籃。還有一童子立于福星身後。

[年　畫]

天津地區

福在眼前
清
出于天津楊柳青。畫面中心爲一紅袍、紅靴、紅帽、赭面朱髯之鍾馗，提一足，舒一掌，握一長劍，雙目注視空中飛來之一蝠。上刻"福在眼前"墨色印文一方。底襯以纏枝葫蘆花紋，四周印花邊。

[年畫]

竈神
清

出于天津楊柳青。

圖中刻繪竈君夫婦并坐于香案前,下有金雞玉犬、聚寶盆,上有"大清光緒二十六年竈君之神位"的二十四節氣表。

[年畫]

萬象更新
清
出于天津楊柳青。
圖中大象背馱寶瓶，上有五鳳飛翔，下畫一懷抱如意之財神，旁有招財童子、利市仙官等奉上金銀財寶，表示時運好轉，財源不斷。

天津地區

[年　畫]

新年多吉慶
清
出于天津楊柳青。
這是一幅充滿歡樂喜慶，四世同堂的"合家歡"。在構圖大致對稱的畫面上，既繪有真實具體的年俗活動，如包餃子、團圓宴、相互拜年和兒童嬉戲等情節，又有表現美好願望的虛構場面，如滿囤金銀財寶，閃閃發光，肥猪拱門，意味着財神來到。

[年畫]

天津地區

[年　畫]

萬國來朝
清
出于天津楊柳青。
圖中繪外國人士持寶物前來朝拜。

慶賞元宵
清
出于天津楊柳青。
畫面表現以民間樂器演奏為中心的慶賞元宵節的場面。

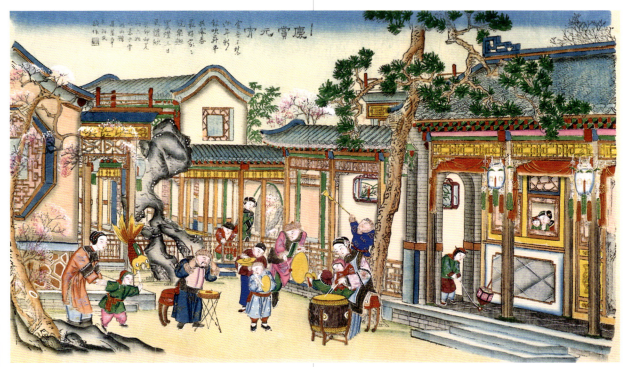

[年 畫]

吉慶有餘
清
出于天津楊柳青。
圖中童子一手執戟，一手握磬，磬下懸一對鯉魚，諧"戟"、"磬"、"鯉魚"之音爲"吉慶有餘"之意。

[年　畫]

金壽童子
清
出于天津楊柳青。

對畫兩童子騎獅捧寶罐或書函，其側皆有一童步行舉拂塵作引獅狀，綠底布番蓮、瓜果圖案，俏雅不俗。畫面中分別有"金"、"壽"二字。

[年畫]

天津地區

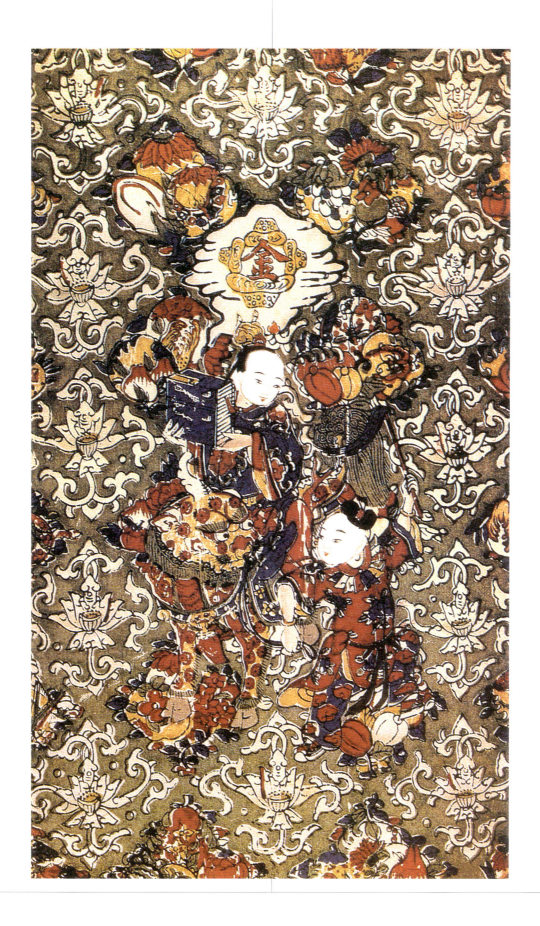

[年　畫]

天津地區

麒麟送子
清
出于天津楊柳青。
童子眉目清秀，手托嬰兒天真活潑。胯下麒麟仰天嘶叫，神采盎然，預示將來此兒必有造化，能建功立業，且子嗣昌旺。

福壽三多
清
出于天津楊柳青。
佛手、桃、石榴置于一處，是謂"三多"，寓意多福（諧佛手音）、多壽（借壽桃）和多子（因石榴多子）。三個童子各擁其一，天真有趣。

[年畫]

天津地區

連年有餘
清
出于天津楊柳青。
諧蓮花與魚之音，取"連年有餘"爲畫名。此圖選取娃娃、金魚、蓮花三個"上相"的形象，構圖緊凑完整，把富裕與多子雙重意義組合起來。

琴棋書畫
清
出于天津楊柳青。
圖中兩童子共扛一筐。左側童子依棋盤撫琴，右側童子肩荷畫軸，坐于書箱旁。

天津地區

[年畫]

鬧學頑戲
清
出于天津楊柳青。

鬧學頑戲，亦稱頑童鬧學。趁先生不在，頑皮的學生在書齋中演出戲劇；正在喧鬧時，左右的門開啟，當是教書先生和家長進來，大家不禁愕然，從而造成戲劇性。

[年 畫]

天津地區

[年　畫]

十不閑
清
出于天津楊柳青。
"十不閑"原爲清初旗人（滿族）子弟家中所演唱的節目。此畫中描繪的是富人弟子自娛自樂"十不閑"的場面。

竹報平安
清
出于天津楊柳青。
畫中一童子手舉竹枝，懷抱一瓶作象徵，寓意"竹報平安"。旁有二仕女，一坐木雕椅上逗引鸚鵡，一執如意在悠閑地觀賞其樂。

福壽康寧
清
出于天津楊柳青。
兩女子倚坐于一月牙竹桌旁,旁邊捲頭琴几上一童子正手握折枝桃子戲耍。

金玉奴棒打薄情郎
清
出于天津楊柳青。
圖中陳設高雅,莫稽走進洞房遭丫鬟棒打,金玉奴似在一旁責問。

[年　畫]

婚慶圖
清
出于天津楊柳青。
圖中繪婚禮的熱鬧
場面。

[年畫]

天津地區

四美釣魚

清

出于天津楊柳青。

畫面描繪賈寶玉與少女們釣魚占卜的故事。

謝庭詠絮

清

出于天津楊柳青。

畫面中庭院幽深，二侍女打傘持食盒向廳堂前行，後跟一提壺童子。廳中謝安、謝道蘊等三人圍坐火盆賞雪。

41

[年　畫]

仕女戲嬰圖
清
出于天津楊柳青。
畫面中兒童手拿蓮、笙、桂花和石榴，寓意"連生貴子"。此對屏畫爲賀喜之用，故亦稱"喜屏"。

[年畫]

天津地區

43

[年 畫]

天津地區

游春仕女圖
清

出于天津楊柳青。

這幅對屏年畫可分可合，分開能獨立成幅，合在一起則為一景。圖中兩執扇美人爲主人，後各隨二侍女，面前百花盛開。

【 年 畫 】

天津地區

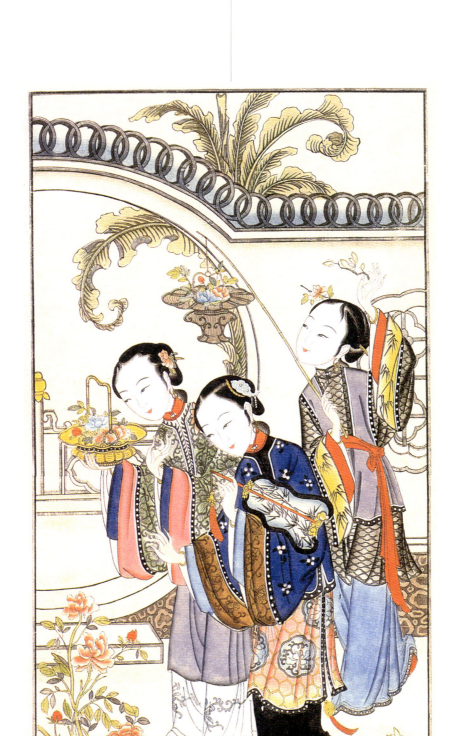

45

[年　畫]

荷亭消夏
清
出于天津楊柳青。
畫面中荷紅柳綠，亭臺樓閣宛如仙宮，微風吹縐池水，
恰有佳麗入畫境中。

[年畫]

天津地區

[年 畫]

藕香榭吃螃蟹
清
出于天津楊柳青。

取材于《紅樓夢》。史湘雲作東,邀請賈母、王夫人、鳳姐、寶玉以及衆姐妹在藕香榭觀賞桂花,飲酒吃蟹,咏菊賦詩。

[年畫]

天津地區

49

[年 畫]

綉補圖
清
出于天津楊柳青。
表現三位婦女在品評所綉的獅子、仙鶴等補子花樣。

訪友圖
清
出于天津楊柳青。

畫面中客人來訪，老人出迎，兒童好奇私語，家犬搖尾張望，室內婆媳似側耳傾聽。

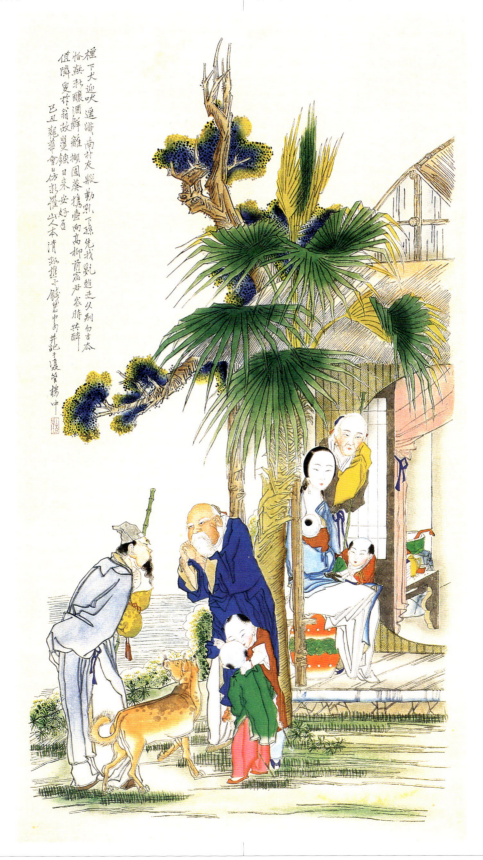

天津地區

[年　畫]

行旅圖
清
出于天津楊柳青。

圖中所繪爲冬天黎明，荒郊野店，旅客告別店家，即將上路。毛驢作爲主要脚力，背馱布袋隨主人上路。樹叢上有冰霜，遠山頂有積雪，殘月如鈎，燈火微明。

[年畫]

天津地區

[年　畫]

天津地區

莊家忙

清

出于天津楊柳青。

畫面表現五月初夏，農家麥收場景。打麥場上，男女老幼，正在揚場、軋麥和收運，一派繁忙景象。

[年畫]

天津地區

天津地區

[年　畫]

精忠傳
清
出于天津楊柳青。
表現《說岳全傳》岳飛精忠報國的故事。

[年　畫]

天津地區

57

[年畫]

天津地區

幽王烽火戲諸侯
清
出于天津楊柳青。
此圖表現周幽王爲博褒姒一笑，舉烽火戲諕諸侯的故事，場面十分繁鬧。

馬跳檀溪
清
出于天津楊柳青。
此圖描繪劉備爲避蔡瑁追殺，縱馬跳躍檀溪的故事。

[年畫]

天津地區

趙雲截江奪阿斗
清
出于天津楊柳青。
取材于《三國演義》第六十一回。圖爲趙雲躍上大船奪回阿斗的場面。

程咬金搬兵
清
出于天津楊柳青。
唐太宗年間，秦懷玉出征摩利沙國，被困于蘇海。程咬金回朝搬兵。朝中之臣大多老邁，元戎難選。程奏請秦懷玉之子秦英，而國丈之子展龍却推薦其弟展虎。校場比武，秦英力斬展虎，遂中選而領兵出征。此圖所繪爲唐太宗與程咬金、展龍正在商議定奪。

59

[年畫]

定軍山
清
出于天津楊柳青。
表現《三國演義》中魏將張郃和夏侯淵與蜀將黃忠交戰的故事。

[年畫]

天津地區

[年　畫]

白蛇傳
清
出于天津楊柳青。

圖中將"游湖借傘"、"開藥鋪"、"盜仙草"、"水漫金山"、"斷橋"、"祭塔"等情節組織在同一畫面中，錯落有致，脈絡清晰。

[年畫] 天津地區

[年　畫]

天津地區

盜仙草

清

出于天津楊柳青。

高84、寬158厘米。

取材于戲劇故事《白蛇傳》，圖中表現白娘子盜仙草的情節。

三岔口

清

出于天津楊柳青。

取材戲劇故事《三岔口》，圖中表現任堂惠救焦贊時的打鬥場面。

[年畫]

天津地區

四季平安
清
出于天津楊柳青。瓶中安插牡丹、荷花、菊花和梅花。這四種花卉分別在春、夏、秋、冬開放，用以象徵四季，安插瓶中，諧音"平安"。瓶座兩旁有石榴、壽桃和佛手，寓意"福壽三多"。

65

[年　畫]

河北地區

門神
清
出于河北武強縣。
圖中門神爲秦瓊和尉遲恭。

[年畫]

河北地區

[年　畫]

河北地區

五子天官
清
出于河北武強縣。
畫面中五子圍繞天官均勻排開，呈近似方形的構圖，圖案性很強。這類門畫與"武門神"不同，一般都張貼在二道門上。

【 年 畫 】

河北地區

[年畫]

河北地區

天地人三界全神

清

出于河北武強縣。

畫面描繪天地人三界全神。

【 年 畫 】

河北地區

財神賜福

清

出于河北武强縣。

圖中右上角一財神手捧聖旨，騰雲駕霧，來人間賜福。十幾個童子正忙着輸送金銀財寶。聚寶盆和搖錢樹，令人眼花繚亂。近處岸上的童子正挪運金錢，分送到村戶。海水似爲天上人間之過渡。

[年畫]

河北地區

下山虎

清

出于河北武强縣。

此爲鎮宅之圖，如民諺所雲："猛虎威武下山岡，咆哮如雷震上蒼。專治妖魔和鬼怪，普天底下獸中王。"

鎮宅神英

清

出于河北武强縣。

神英爲"神鷹"的諧音。與"天師鎮宅"、"太公鎮宅"有相近性質。

九九消寒圖

清

出于河北武强縣。

爲農曆"冬至"過後農民祝來年豐收所繪製。圖中童子二組，一組四人，一組六人，聯作俯仰姿態，合爲"九子十成"之意。

[年 畫]

陶潛愛菊
清
出于河北武強縣。
圖中陶淵明肩負一菊籃，指引童子荷菊歸來。

太白醉酒
清
出于河北武強縣。
圖中李白醉倚柳下，舒掌接童子捧來之酒罐。

【年畫】

河北地區

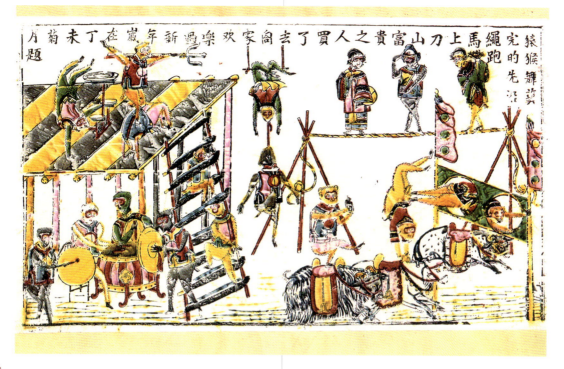

猴戲
清
出于河北武強縣。
猴戲在北方農村俗稱"耍猴兒"。表演時，猴子穿着衣服，翻跟頭、鑽圈子、上刀山、走鋼繩和騎羊奔跑等。

猴官
清
出于河北武強縣。
此圖表現一種民間歌舞，以猴子扮演戲中醜官，諷喻爲官者祇會學着主子的樣子作事，而不問民衆的疾苦。

[年　畫]

渭水河

清

出于河北武强縣。

描繪殷末西伯姬昌于渭河邊訪姜子牙的故事。

龍鳳配 回荊州

清

出于河北武強縣。

取材于《三國演義》。一個畫面表現劉備在東吳與孫權之妹孫尚香成親，另一畫面表現趙雲用諸葛亮錦囊妙計，騙劉備回荊州的場景。

胡金蟬大戰楊令

清

出于河北武強縣。

圖中畫王金娥、胡金蟬、梅令女三女將騎馬戰楊令（林）和楊豹，秦瓊、柴少（紹）步下助威，山後有徐茂公與程咬金據高觀陣。其中胡金蟬手舉黃旗，祭出飛石打敗楊氏父子。

[年　畫]

河北地區

穆桂英大破天門陣
清
出于河北武強縣。
宋朝時，遼國蕭天佐率兵進犯中原。呂洞賓攜柳樹精助遼軍擺設天門陣，鍾離權爲楊六郎治病，又有穆桂英獻降龍木歸順宋軍，并率宋營將士大破天門陣。圖中，兩國交兵，呂、鍾離二仙正在雲中觀戰。

大破衝宵樓
清
出于河北武強縣。
圖中所畫爲歐陽春、盧方、魏真、韓章等到衝霄樓破銅網陣的場面。

武松單膀擒方臘

清

出于河北武強縣。

取材于《水滸傳》。宋江兵下江南，攻破睦州。方臘出戰，連敗梁山諸將。武松與鬥，左臂被方臘砍斷，魯智深打倒方臘，武松以單臂擒住方臘。

岳飛傳

清

出于河北武強縣。

此幅年畫由"設計害岳"、"金兵入犯"、"八錘戰兀术"三組畫面構成。

[年畫]

河北地區

打金枝

清

出于河北武強縣。

此圖為燈屏，四幅可糊燈籠一盞。圖上題字為燈謎，字與畫面內容無關。四幅分別是：郭曖怒打升平公主；公主哭訴于帝；郭子儀綁子上殿；肅宗皇后分勸二人和好。

[年畫]

河北地區

三俠五義
清
出于河北武強縣。

取材于小說《三俠五義》,表現包拯在俠客、義士的幫助下,審奇案、平冤獄,以及俠客義士幫助官府除暴安良、行俠仗義的場面。

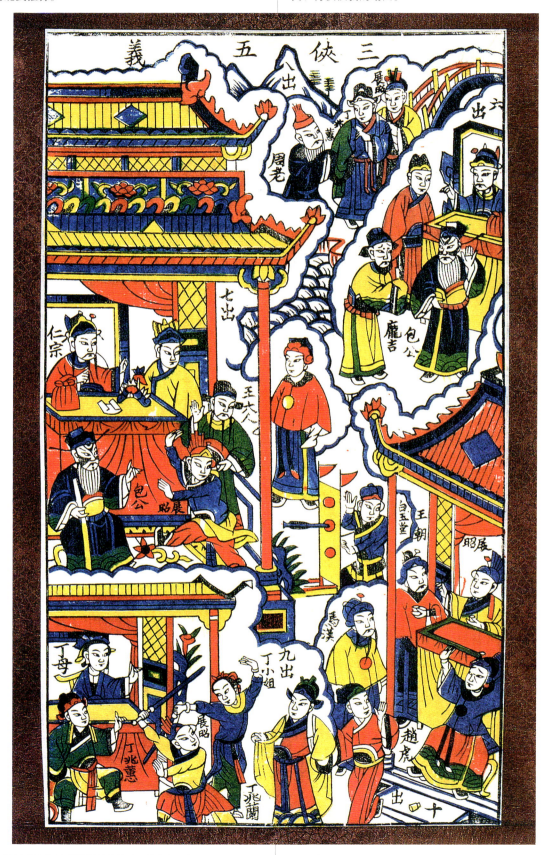

[年畫]

河北地區

富壽年豐

清

出于河北武强縣。

此對猴子門神每幅各有子母猴一對，大猴托着玉印，小猴捧着鮮桃，又襯托以牡丹花和蜜蜂，以諧音寓意手法表示封侯、富足、多壽、豐年喜慶之祝頌。

[年 畫]

河北地區

83

[年畫]

河北地區

馗頭

清

出于河北武安縣。

馗頭二目如鈴，獅鼻巨口，獠牙外齜，連鬢鬚都以紅、黃、綠、紫繪成條紋狀。

[年畫]

河北地區

李自成稱王
清
出于河北寧河縣。
畫面表現李岩、牛金星、宋獻策等人共投李自成的場面。

白虎關
清
出于河北寧河縣。
畫面表現薛仁貴西征白虎關的故事。圖中薛仁貴坐于堂上，薛丁山引樊梨花前來見父。

[年　畫]

門神
清
出于山東濰坊市楊家埠。

這是流行于齊魯地區的神荼、鬱壘門神造型，具有很强的裝飾性，頭約占四分之一，盔甲纓絡，布滿畫面。

【 年畫 】

山東地區

[年　畫]

山東地區

五子天官
清
出于山東濰坊市楊家埠。天官爲福神。《天官携五子圖》，則爲典型的賜福門神。圖中童子所捧鼎爐、戟瓶、牡丹、彩燈，均寓意吉祥、富貴、如意和高升。

【 年畫 】

山東地區

[年　畫]

山東地區

三星門神
清
出于山東濰坊市楊家埠。

三星，指福星、祿星和壽星，亦既福神、祿神和壽神。圖中祿神抱子，左右上角的牡丹和蝙蝠寓意富貴和萬福。

[年 畫]

山東地區

劉海戲金蟾
清
出于山東濰坊市楊家埠。
圖中劉海手持銅錢，戲逗腳下金蟾。

[年 畫]

麒麟送子
清

出于山東濰坊市楊家埠。

這是"麒麟送子"題材年畫的又一式樣。對圖,每圖中有母子二人。母執花扇立于其後,子騎麒麟在前,一手飼食,一手托玉書或官印。畫中又點綴牡丹和山茶等。

[年畫]

山東地區

[年畫]

竈君

清

出于山東濰坊市楊家埠。

圖上部爲竈王爺和竈王奶奶，下部爲男女老少正等待"天官賜福"。

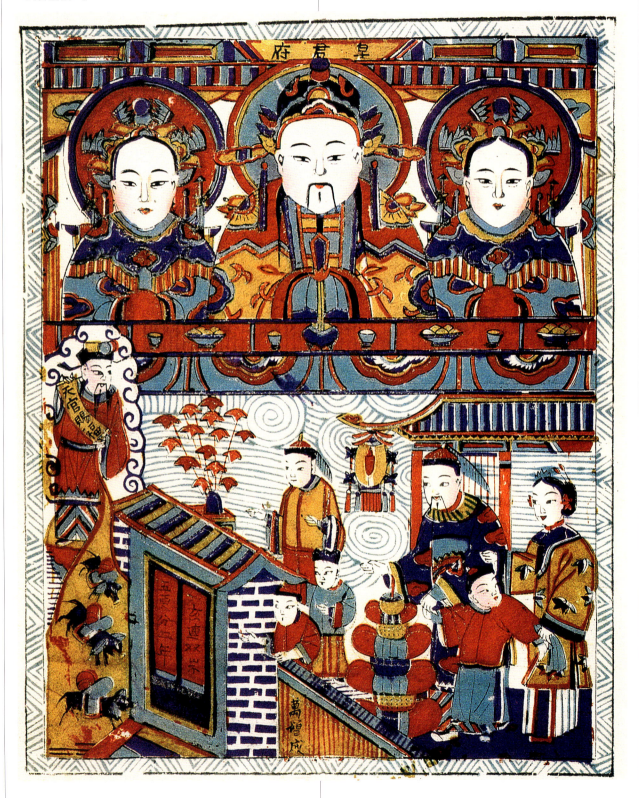

摇錢樹

清

出于山東濰坊市楊家埠。

摇錢樹上，挂滿串串金錢，一群孩童正在采摘。

[年畫]

山東地區

蟠桃大會
清
出于山東濰坊市楊家埠。

圖中王母端坐，八仙、仙獸和壽星列立左右，案前有一白猿獻上壽桃。民間常用作祝壽題材。

【年畫】

山東地區

[年畫]

春牛圖

清

出于山東濰坊市楊家埠。

圖中共有五個情節：芒種趕牛，天喜星降臨，三鋤三餅，馬下雙駒，以及東村、西村爭短工。這些都是豐年的兆頭。

二月二龍抬頭

清

出于山東濰坊市楊家埠。

畫面表現皇帝耕田，娘娘送飯的場面，表現皇帝"籍田"的儀式，寓"勸農"之意。

[年畫]

山東地區

十子鬧春
清
出于山東濰坊市楊家埠。
炕頭畫之一種。紅梅報春，萬物生發，春是新生命的象徵。畫中繪有十個童子，寓意子孫滿堂。

男十忙
清
出于山東濰坊市楊家埠。
描繪農民驅牛趕馬、拉犁耕地、扶耬播種、打砘保墒、揮鐮割麥等耕田勞作的情景，充滿濃鬱的鄉土氣息。

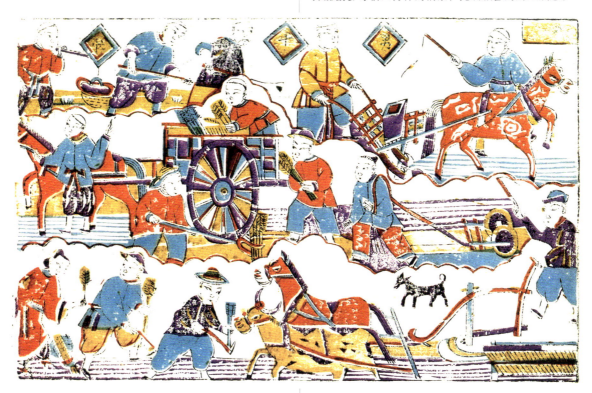

99

[年　畫]

女十忙

清

出于山東濰坊市楊家埠。

表現婦女們從事軋棉、彈花、紡紗和織布的情景。

群猴搶桃

清

出于山東濰坊市楊家埠。

此圖描繪了老人采桃歸來，一群猴子攔車搶劫的情景。老人爭奪，不免顧此失彼，毛猴竟更加放肆，這一惡作劇使老人哭笑不得。

[年畫]

山東地區

走馬薦諸葛

清

出于山東濰坊市楊家埠。

表現徐庶辭別劉備到許昌前，舉薦諸葛亮的故事。

呂岳法寶勝姜尚

清

出于山東濰坊市楊家埠。

圖右方呂岳道人頭箍蓮冠，手舉寶劍，騎在黃虎背上，後有呂平、呂安助戰。呂岳祭出"列瘟印"，打中畫面左方的雷震子。姜尚（子牙）亦祭出"打神卞（鞭）"還擊，但終失敗，與金吒、木吒被困于陣中。

[年畫]

山東地區

李逵奪魚
清
出于山東濰坊市楊家埠。
圖中李逵提魚,揚一拳,作開打架勢,左側張順握拳踢腿在還擊李逵,右邊宋江,一旁拱手在爲二人解勸。

許仙游湖
清
出于山東濰坊市楊家埠。
《白蛇傳》中的一段故事情節。畫面中人物取中景,湖水蕩漾,綠柳飄拂,以撐傘表現雨天,并有紅葉飄零。

[年畫] 山東地區

金山寺
清
出于山東濰坊市楊家埠。
圖中描繪了雙方鬥法交戰的場面，法海搬來了天神哪吒，與白娘子手下的水族相鬥。

沈萬三打魚
清
出于山東濰坊市楊家埠。
圖中繪刻沈萬三弄船江邊，忽然得一聚寶盆于水中。左有龍王及太子立于水上，拱手拜謝，表現民間傳說沈萬三放生獲報的故事。

103

[年　畫]

山東地區

猴子騎羊
清
出于山東濰坊市楊家埠。
圖中一猴子手舉雙桃，以"魁星點斗"姿勢立于羊背之上，旁邊兩個女藝人一打鑼、一敲鼓，另一旁兩人觀看。

當朝一品
清
出于山東濰坊市楊家埠。
虎爲百獸之王，民間祀爲"山神"，此圖即以虎喻"當朝一品"之意。

[年畫]

山東地區

富貴平安 連生貴子
清
出于山東濰坊市楊家埠。右幅爲"富貴平安",瓶中安插牡丹花,瓶身圖案爲"牛郎"。左幅爲"連生貴子",瓶中安插蓮花,瓶身圖案爲"織女"。兩株花叢中均有童子,以構成對稱。上端有裝飾性對獅。

105

【 年 畫 】

四時花鳥圖

清

出于山東濰坊市楊家埠。

所選爲《四時花鳥圖》中的後兩幅。"黄花晚丁香"以菊花黄雀寫秋景，"梅花開五福"以喜鵲登梅寫冬景。

[年畫] 山東地區

酒醉八仙圖
清
出于山東。
圖中八仙飲酒聚會。

富貴滿堂
清
出于山東平度市。
兩株搖錢樹上，挂滿串串金錢。一群天真活潑的兒童正在采摘，并以車推、肩擔運走。

[年　畫]

山東地區

增福財神
清
出于山東平度市。
這幅財神像所繪爲文財神比干丞相。比干居中正襟危坐，左手捋鬚，身後有招財童子和利市仙官，下方有增夫曹寶和略夫蕭升。中間的聚寶盆之上站一童子，手展卷軸，上寫"增福財神"，與上部"福"字相呼應。

[年畫] 山東地區

和合二仙
清
出于山東平度市。
二仙爲童子相,舉牡丹,并抱笙和卷軸,足踏金錢珠寶,添加了富貴、生子和斂財的含義。

魚引龍錢
清
出于山東平度市。
圖中胖娃娃肩扛一條大鯉魚,旁有蓮花牡丹,寓意鯉躍龍門,交好運,達富貴。

109

[年　畫]

山東地區

瓜瓞富貴
清
出于山東平度市。
這是一對房門畫，主題是祈祝子孫昌盛而富貴。二童子分別握住蝴蝶、蝙蝠，而前有瓜果、桂花。分別諧音合爲"瓜瓞富貴"。

【 年 畫 】

山東地區

111

【 年畫 】

山東地區

空城計

清

出于山東平度市。

取材戲劇故事。畫面表現諸葛亮用計智退司馬懿的場面。

大戰長坂坡

清

出于山東平度市。

描繪《三國演義》中趙雲懷揣阿斗，與曹兵大戰于長坂坡的故事。

[年畫] 山東地區

虎牢關三英戰呂布
清
出于山東平度市。
圖中呂布為先鋒，連殺袁紹數將，英勇無敵。當時為袁紹部下的劉備、關羽、張飛出戰呂布，是謂"三英戰呂布"。

龍鳳配 回荊州
清
出于山東平度市。
表現《三國演義》中"劉備招親"和"回荊州"故事。

[年畫]

山東地區

天女散花
清
出于山東高密市。
對畫。圖中仙女捧一花籃，身後立一侍女。

【 年　畫 】

山東地區

[年 畫]

山東地區

九獅圖
清
出于山東高密市。
圖中八頭活潑的小獅子正在圍着一頭大獅子翻滾戲耍。

[年畫]

山東地區

借傘
清
出于山東高密市。
畫面表現《白蛇傳》
中白娘子向許仙借傘
的故事。

117

[年　畫]

山東地區

春夏秋冬　牛郎織女
清
出于山東高密市。
《春夏秋冬》是一幅表現勞動生產的畫，分別繪春播、夏鋤、秋耕和冬天積肥的情節。《牛郎織女》取材于民間傳說故事《天河配》。

[年 畫]

山東地區

[年 畫]

山東地區

八仙墨屏
清
出于山東高密市。此圖爲半印半繪的作品，墨色爲主調，略敷淡彩，表現八仙的傳説故事。

[年 畫]

博古墨屏
清
出于山東高密市。
此圖表現四季花卉。瓜果托盤及古代瓷瓶器皿圖案，有富貴吉祥之意。

[年畫]

河南地區

大刀門神
清

出于河南盧氏縣。

畫面中二武將身材魁梧,氣勢雄壯,皆戴倒纓盔,披鎧甲,穿雲頭戰靴,佩弓囊箭袋。均一手執大刀,另一手分執金錠、如意,取"必定如意"之吉祥寓意。

【年畫】

河南地區

[年畫]

河南地區

天官童子

清

出于河南盧氏縣。

對畫。畫面中天官造型偉岸，面相慈善親切，五綹長髯飄拂，一手捧笏板，另一手端盤，盤中分別放置插有牡丹或荷花的寶瓶、仙鶴及鹿。寓意六合（鹿鶴）同春、平安富貴，三個童子或執裝飾瑞獸的花燈，或端金爵，或捧插着戟、磬的花瓶，皆含加官進爵、連登太師及平安喜慶之祝頌。

【 年 畫 】

河南地區

【 年　畫 】

河南地區

大刀門神
清
出于河南開封市朱仙鎮。
此幅門神頗似秦瓊、尉遲恭形象，但皆手執大刀，相對而立。

進寶力士
清
出于河南開封市朱仙鎮。
財神的一種,畫面中力士手推寶車,將財寶送往人間。

[年　畫]

和合二仙
清
出于河南開封市朱仙鎮。
圖中二聖一拿荷花，一托寶盒，意爲財寶無盡。

[年 畫]

馗頭
清
出于河南開封市朱仙鎮。
鍾馗頭戴進士巾，一手握筆，一手托簿。

[年　畫]

河南地區

鎮宅鍾馗
清
出于河南開封市朱仙鎮。
鍾馗頭戴進士巾，着綠袍繫帶，手持寶劍。

[年畫]

河南地區

天仙送子
清
出于河南開封市朱仙鎮。
圖中天仙娘娘騎着麒麟正在爲人間送來聰明俊美的童子。童子一男一女,皆身穿紅衣,手拿牡丹花,空中又點綴有飛翔的蝙蝠,寓意童子長大後定可大富大貴。

[年 畫]

河南地區

劉海戲蟾 瓜瓞綿綿
清
出于河南開封市朱仙鎮。
圖中一兒童舉足側身戲蟾，為取對稱，另一兒童亦呈相應動態逗蝶，下有三個瓜果，諧音為"瓜瓞綿綿"。

[年畫]

河南地區

五子奪魁
清
出于河南開封市朱仙鎮。
圖中五童子爭搶一盔,寓意"五子奪魁"。

[年　畫]

河南地區

天河配
清
出于河南開封市朱仙鎮。
此圖表現牛郎、織女鵲橋相會之景。

[年　畫]

河南地區

飛虎山
清
出于河南開封市朱仙鎮。
圖中爲李克用騎馬射獵到飛虎山，巧遇安敬思打虎的情景。

[年畫]

河南地區

九龍山
清
出于河南開封市朱仙鎮。
表現《說岳全傳》中岳雲押糧回營，因不知將令欲戰楊再興的故事。

[年 畫]

河南地區

對金抓
清
出于河南開封市朱仙鎮。
表現三國時馬超與馬岱兄弟二人，因使用同一兵器金抓而始能相認的故事。

[年畫]

河南地區

長坂坡
清
出于河南開封市朱仙鎮。
描繪《三國演義》中趙雲懷揣阿斗，與曹兵大戰于長坂坡的故事。

[年　畫]

河南地區

壽州城
清
出于河南開封市朱仙鎮。
取材于戲劇故事。表現後周世宗柴榮攻破壽州城時的場面。

[年 畫]

河南地區

三娘教子
清
出于河南開封市朱仙鎮。
取材于民間故事,畫面一爲訓子,一爲三娘獲得朝廷封
誥。圖中老者爲薛廣。圖中空間點綴有蝙蝠、蝴蝶和
花枝。

[年畫]

河南地區

[年　畫]

河南地區

渭水河
清
出于河南開封市朱仙鎮。
表現姜子牙垂釣于渭河，文王前來訪賢的故事。

渭水河

三女俠

清

出于河南開封市朱仙鎮。

圖中三位俠女手舉單刀,作搏鬥狀,姿態英武。

[年 畫]

山西地區

立刀門神
清
出于山西晉南地區。
立刀門神，一般認爲是關公和關勝。自清代以後，將

關公和關勝合爲一對門神，緣于二人爲一家，且都是忠勇之士，爲人欽慕，并以大刀爲兵器，可構成畫面的對稱。

[年　畫]

山西地區

[年畫]

山西地區

禄壽門神
清
出于山西晋南地區。
在這對門神畫中，二神的造型并非典型的禄神與壽神形象。對照畫中聯句和背景上的元寶珠璣，可知圖意爲進財納寶。

[年　畫]

奎頭
清

出于山西晉南地區。

奎頭，既尬頭。懷中所携簿錄上寫有"滿門增福"，説明這位鎮宅判官又兼有賜福的神能。

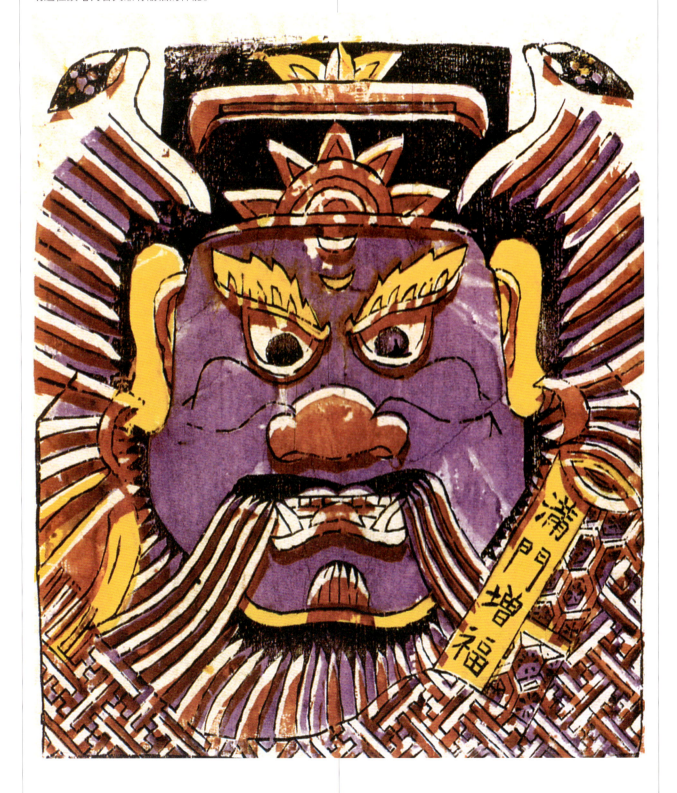

文武財神

清

出于山西晋南地區。

此圖爲上下兩段構成。下爲文財神，上爲武財神。武財神爲關公，赤面長髯，左立周倉，舉青龍偃月刀，右立關平，手托帥印。

山西地區

嬰戲圖
清
出于山西晉南地區。
圖中描繪了九個兒童在庭院中戲耍游戲的場景。

春牛圖
清

出于山西新絳縣。

圖中印有春牛和芒神，芒神赤一足，履一足，表示風調雨順。圖下三人吃九餅。

[年　畫]

山西地區

騎雞娃娃

清

出于山西新絳縣。

圖繪昂首大公雞一對，背上各騎一童子，皆一手抱如意，一手持花，身着朝服。上有祥雲日月，并有"新春"字樣，下各有大橘一枝，亦取音"吉"字。

[年　畫]

山西地區

蝶戀花
清
出于山西臨汾市。由四幅組成，繪有蓮花、桃花、牡丹、水仙，蝴蝶翩翩，春意盎然。且有古瓶，內放壽桃、石榴和葡萄等，寓意多壽多子。

大吉圖
清
出于山西臨汾市。圖中所繪雄雞威武昂揚，翅部分別以牡丹、桃花、荷花和菊花裝飾，色彩艷麗。

[年 畫]

山西地區

[年 畫]

山西地區

秦香蓮

清

出于山西洪洞縣。

圖為秦香蓮拜謝王延齡,秦香蓮開封府告狀,包拯計召陳士美,太后、皇姑聞報陳士美已被鍘死四幕劇。

琴棋書畫

清

出于山西應縣。

左上圖畫三個高隱之士于松下觀畫。左下圖表現俞伯牙攜琴訪友的故事。右上圖爲讀書人進京應試的場景。右下圖繪三國時趙顔跪求南、北斗二星君延壽的故事。

[年　畫]

陝西地區

門神
清
出于陝西漢中市。

這對門神氣宇軒昂，風格雄渾古樸。二神將胸腹向前凸出，頭腳後收，呈弓形。

[年畫]

陝西地區

[年畫]

陝西地區

門神
清
出于陝西鳳翔縣。
神荼和鬱壘被當作兩個
最早的護門之神。傳説
他倆能治服惡鬼，護佑
百姓。二神頂盔貫甲，
手執大錘，腰繫佩劍，
威武莊重。

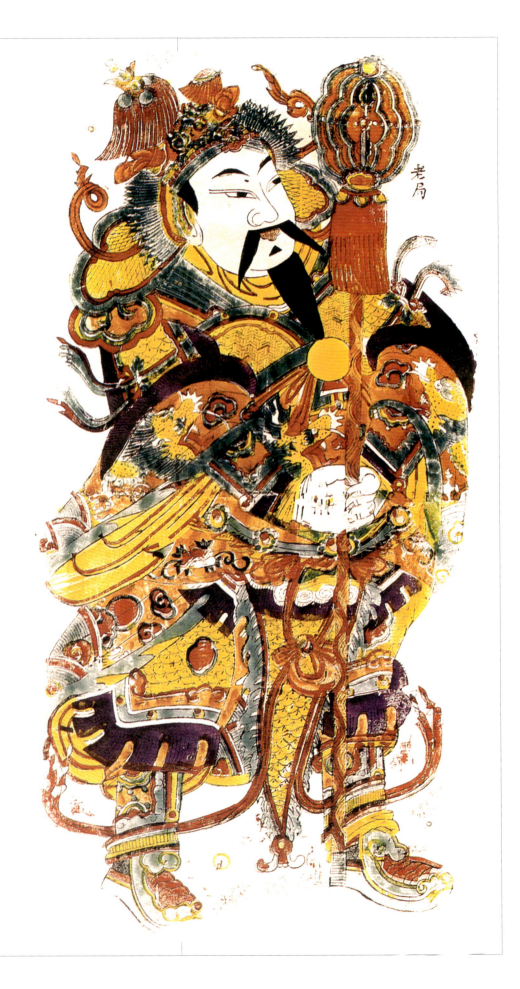

[年　畫]

陝西地區

161

[年 畫]

陝西地區

門神
清
出于陝西鳳翔縣。
此對門神爲秦瓊與尉遲恭。

【 年畫 】

陝西地區

[年 畫]

靈寶神判
清
出于陝西鳳翔縣。
畫面中心鍾馗紅袍、紅靴、紅帽，赭面朱髯，一手握劍。

張天師驅五毒
清
出于陝西鳳翔縣。
畫面中張天師戴道冠穿法衣，手持寶劍，身下騎一虎，正在作法。

[年　畫]

陝西地區

避馬瘟
清
出于陝西鳳翔縣。
民間傳說猴子可以避除馬瘟，所以過年時，將這樣的年畫貼于牛棚馬厩，以保牲畜消瘟免疫。

[年畫]

陝西地區

避馬瘟
清
出于陝西鳳翔縣。
圖中猴子手捧仙桃。

[年　畫]

陝西地區

萬象更新
清
出于陝西鳳翔縣。
圖中象背馱聚寶盆，內長搖錢樹，樹上結滿串串銅錢，象的四足亦踏銅錢。左右有文武二財神及童子，手捧元寶、金錢和珠璣等。

女十忙

清

出于陝西鳳翔縣。

圖中十八名婦女分坐瓦樓廳堂上，有的彈花，有的紡紗、捻綫、絡紗、織布，反映了古代手工木機織布的整個過程。

【 年 畫 】

魚樂圖

清

出于陝西鳳翔縣。

圖中兩個漁婦，一扛魚竿，一提魚籃，緩步而行。

【年畫】

陝西地區

無雙贈珠

清

出于陝西鳳翔縣。

此圖由三折戲劇所組成。右爲《無雙贈珠》，出自唐人小說《劉無雙傳》；左爲《白美娘借傘》，即白娘子借傘；中間爲《青雲下書》一戲，劇情不詳。

李逵奪魚

清

出于陝西鳳翔縣。

畫面中間李逵戴鬃帽，握拳提一鯉魚，左有張順，右有宋江。

171

【 年 畫 】

陝西地區

回荆州

清

出于陝西鳳翔縣。

畫面表現劉備娶孫權之妹，遇險回荆州的故事。

【 年　畫 】

陝西地區

[年　畫]

江蘇地區

門神
清
出于江蘇蘇州市桃花塢。
圖中所繪爲秦瓊、尉遲恭二人之像。二武將頭戴武冠，身着鎧甲，足穿戰靴，一舉鞭，一持鐧。

【 年 畫 】

江蘇地區

[年　畫]

江蘇地區

鍾馗
清

出于江蘇蘇州市桃花塢。

圖中以蜘蛛代蝙蝠，蜘蛛在南方俗稱"喜蛛"，亦取"喜從天降"之意。鍾馗還有文判、武判之别，貫甲舞劍者爲武，着袍執笏者爲文。這是一對文判。

【 年 畫 】

江蘇地區

江蘇地區

[年 畫]

五子門神
清

出于江蘇蘇州市桃花塢。

門神執板斧、鐧。下有五子，或取五子登科之意。圖中一子騎麒麟，并含送子之意。

[年畫]

江蘇地區

三星圖
清
出于江蘇蘇州市桃花塢。

人們把福祿壽三星圖挂在家中，有"吉星拱照，福壽滿堂"之說，以祈求幸福、財富和長壽。

【 年 畫 】

江蘇地區

天師鎮宅
清
出于江蘇蘇州市桃花塢。
圖中張天師身穿道袍，一手托鉢，一手執符書，騎猛虎，鎮五毒。

魁星點斗

清

出于江蘇蘇州市桃花塢。

圖中魁星踏龍，一手握筆，一手拿一元寶，除作爲學子之保護神外，還兼有送財之意。

【 年 畫 】

江蘇地區

衆神圖
清

出于江蘇蘇州市桃花塢。圖中神祇分五層。最上層爲如來佛、太上老君和孔夫子，第二層是觀世音菩薩，第三層爲玉皇大帝，底層是天、地、水三官。三官身後分侍文武財神，兩側爲張仙、城隍、土地諸路神明。

八仙慶壽

清

出于江蘇蘇州市桃花塢。

圖中南極壽翁拄杖居中，下有白猿獻桃。八仙各執寶器分列左右。兩側有和合二仙與龍鳳圖案。

[年畫]

江蘇地區

壽字圖
清

出于江蘇蘇州市桃花塢。

壽字以藍色爲底，字中畫有"福禄壽星"、"八仙過海"、"東方朔盜桃"、"白猿獻壽"、"冠帶傳流"以及"王母娘娘"等與祝壽有關的故事和神仙。

[年　畫] 江蘇地區

福字圖
清
出于江蘇蘇州市桃花塢。

大紅福字中，分別置有"趙公元帥"、"麒麟送子"、"天官賜福"、"劉海戲蟾"、"和合見喜"以及"賜福財神"等與祈福有關的人物故事。

【 年 畫 】

江蘇地區

歲朝圖

清

出于江蘇蘇州市桃花塢。

圖中以"代代登科"、"冠帶傳流"、"歲朝鑼鼓"、"平安吉慶"、"劉海戲蟾"、"福壽和合"、"貴子奪魁"及"棋棋有着"等幾組情節組成。

[年　畫]

江蘇地區

榴開百子

清

出于江蘇蘇州市桃花塢。

圖中左右爲"麒麟送子",中間二童子捧寶瓶,瓶中插三戟和一磬,寓意"平安吉慶"與"平升三級"。背景有石榴樹,石榴已成熟開裂,榴子綻出,寓意多子。

[年　畫]

江蘇地區

百花點將
清
出于江蘇蘇州市桃花塢。
取材于《水滸傳》。畫面表現百花公主端坐點將臺點將的場面。

【 年 畫 】

江蘇地區

五子奪魁
清
出于江蘇蘇州市桃花塢。
盔音諧"魁",年長兒童舉盔,其餘四幼童爭奪,故名爲"五子奪魁"。

[年畫]

江蘇地區

花開富貴
清
出於江蘇蘇州市桃花塢。
牡丹花開，石榴露子，壽桃紅熟，插于瓶中，寓意富貴、多子和長壽。下置琴棋書畫，表示富有人家的生活閒逸，情趣高雅。底子繪有萬字不到頭圖案，取綿長之意。

九獅圖

清

出于江蘇蘇州市桃花塢。

九獅與"九世"諧音,用以象徵兄弟相讓,全家和睦,九世同居之意。圖中九獅大小不等,狀貌各异,巧繪于一幅畫中,極富裝飾趣味。

[年　畫]

江蘇地區

百子圖

清

出于江蘇蘇州市桃花塢。圖中一群天真活潑的兒童，在一庭院內熙熙攘攘，盡情玩樂，耍龍燈、放風箏、鬥蟋蟀、蕩鞦韆等，千姿百態，逗人喜愛。

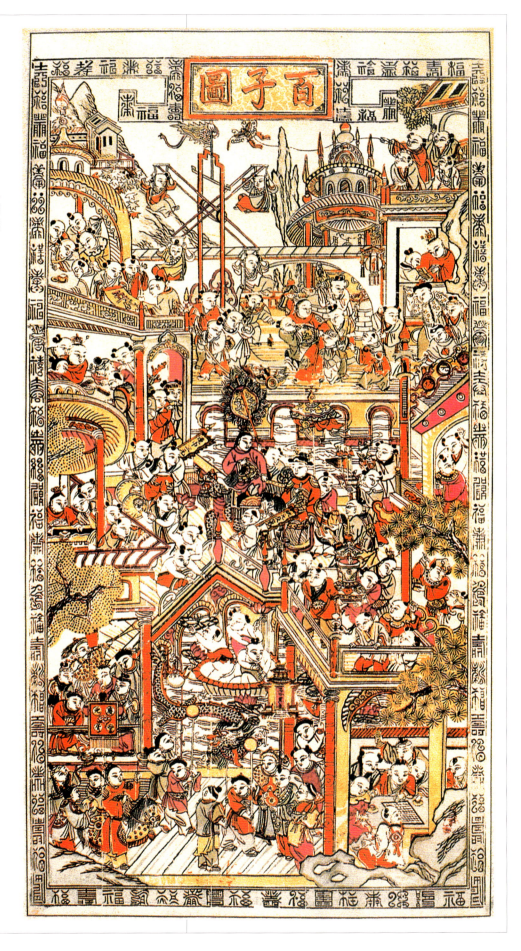

百子全圖

清

出于江蘇蘇州市桃花塢。

圖中童子分六組，各作狀元游街、升降飛梯、喜鬧元宵、戲耍龍燈和跑竹馬等游戲。

江蘇地區

[年 畫]

琵琶有情
清

出于江蘇蘇州市桃花塢。

圖中描繪了一位彈詞女藝人在富戶人家唱"堂會"的情景。

琵琶本是尋常韵纖指
揮來便有情 王榮興印

【 年 畫 】

江蘇地區

簾下美人圖
清
出于江蘇蘇州市桃花塢。
圖中一女子啓簾張望，脚下有一貓。

【 年 畫 】

江蘇地區

提籃美人圖
清
出于江蘇蘇州市桃花塢。
圖中一提籃女子回首觀望一孩童,孩童正執魚簍玩耍。

【年畫】

江蘇地區

采茶春牛圖
清
出于江蘇蘇州市桃花塢。
畫面表現采茶時的場景。

上海火車站
清
出于江蘇蘇州市桃花塢。
此圖表現了上海鐵路發展的初始狀況。

[年　畫]

江蘇地區

姑蘇閶門圖
清
出于江蘇蘇州市桃花塢。
畫面表現了當時蘇州鬧市的場景。

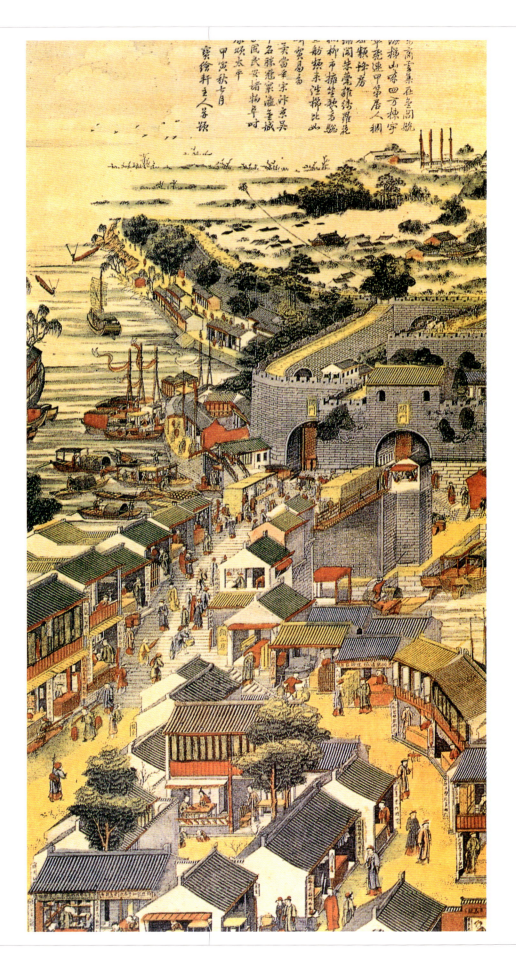

[年畫]

江蘇地區

姑蘇報恩進香
清
出于江蘇蘇州市桃花塢。
舊俗八月八日爲八字娘娘生日，北寺（報恩寺）中有其因緣，此日年老婦人多進香于此。

[年 畫]

江蘇地區

十二花神

清

出于江蘇蘇州市桃花塢。

此圖是以十二月每月一花神組成。爲楊六郎、柳夢［梅］、鍾馗、謝意秋、唐明皇、西（石）崇、張李（麗）華、招（昭）君、刁（貂）蟬、老令宮（公）、陶曰（淵）明、楊栽（再）興，還有楊貴妃、于志林、孟浩然等，已不止十二花神。中間方格內，刻和合二仙，爲升至最高，得道成仙之地。

[年　畫]

江蘇地區

金雞報曉
清
出于江蘇蘇州市桃花塢。
雞被人類馴養，啄取害蟲爲食。所以門畫中將它作爲報曉的司晨和驅五毒逐瘟疫的守護者。

【 年畫 】

江蘇地區

黃貓銜鼠
清
出于江蘇蘇州市桃花塢。
此類門畫既是新年時門扉裝飾之畫，又是含有"閑人止步"的示意畫。

【 年畫 】

江蘇地區

西廂記
清
出于江蘇蘇州市桃花塢。
畫面描繪《西廂記》故事情節。

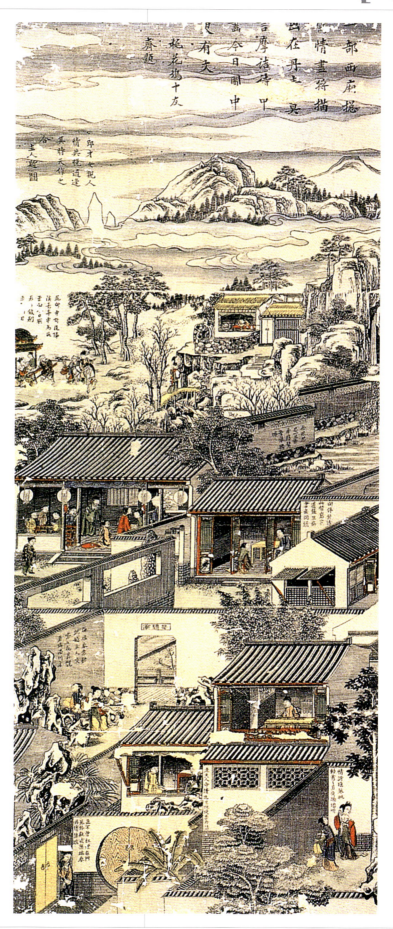

[年畫]

江蘇地區

戲劇十二齣

清

出于江蘇蘇州市桃花塢。

此圖分爲三段,每段四折,分別爲:鐵弓緣、八蠟廟、二龍山、三疑計、捉放曹、小上墳、胭脂虎、三娘教子、牧羊卷、賣胭脂、九更天和送銀燈。

金槍傳楊家將

清

出于江蘇蘇州市桃花塢。

故事描寫北宋名將楊業一家三代為宋盡忠的事迹。年畫分前本後本兩張。此圖為前本八幅,描寫楊業的六個兒子或陣亡,或被俘,或出家,以及老令公楊業碰死李陵碑的不幸遭遇。

唐伯虎點秋香

清

出于江蘇蘇州市桃花塢。

取材于民間故事,描繪才子佳人終成眷屬的的故事情節。

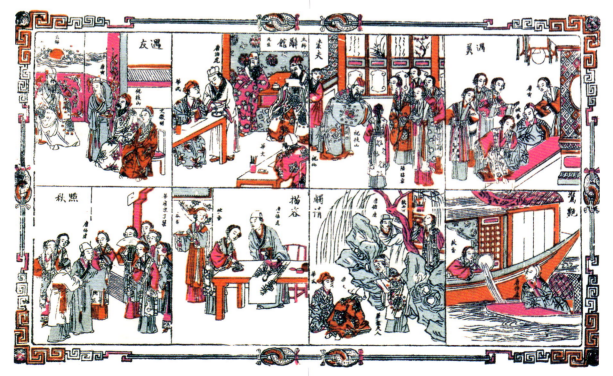

[年畫]

江蘇地區

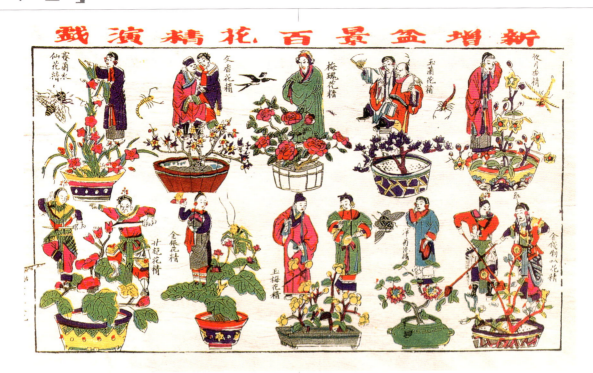

盆景百花演戲

清

出于江蘇蘇州市桃花塢。

圖中繪刻十種鮮花，分別種植在各種不同的古色花盆中。每個盆景花上，或繪以戲曲藝術中的青衣花旦，或繪以文巾小生，也有繪二人爲一齣小戲者。

玉麒麟

清

出于江蘇蘇州市桃花塢。

畫面描繪盧俊義錯怪李固作妖精的情節。

[年 畫]

江蘇地區

武松血濺鴛鴦樓
清
出于江蘇蘇州市桃花塢。
圖中蔣門神手無兵器,高舉一椅在抵抗。武松手握鋼刀,抓住蔣門神之腿,揮刀欲刺。右餐桌前,張都監驚嚇倒在地上,張團練離席欲逃。

穆桂英大破天門陣
清
出于江蘇蘇州市桃花塢。
繪楊宗保與穆桂英齊力破遼國天門陣的故事。

[年畫]

江蘇地區

花果山猴王開操
清
出于江蘇蘇州市桃花塢。
表現《西游記》中孫悟空在花果山操練群猴的場面。

蕩湖船
清
出于江蘇蘇州市桃花塢。
表現天明亮以望遠鏡注目船中美女，金表、衣物被盜故事。具諷諭意義。

[年畫]

江蘇地區

四望亭捉猴
清

出于江蘇蘇州市桃花塢。

圖中表現小説《紅碧緣》中情節。一猴攀抓四望亭頂，花碧蓮登亭舒臂在捉，花奶奶在下護守。亭前有花振芳、駱紅勛、余千及巴家寨的巴虎、巴彪、巴家衆姊妹。遠處牌樓下立有樂亦萬與華三千主僕瞭望。

209

[年　畫]

江蘇地區

五子奪魁
清
出于江蘇揚州市。
圖中五童子在爭搶一盔，爲"奪魁"之意，喻少年讀書進取，争取考試奪取第一。

[年 畫]

江蘇地區

麒麟送子
清
出于江蘇南京市。
舊傳麒麟爲仁獸,麒麟所送之子長大後,定爲賢良之臣,意爲聖明之世當行。

[年　畫]

門神

清

出于四川綿竹市。

門神爲秦瓊與尉遲恭的形象，二人分別作揚鞭、舞鐧狀。

【 年 畫 】

四川湖南安徽浙江地區

213

[年　畫]

四川湖南安徽浙江地區

門神

清

出于四川綿竹市。
門神爲神荼、鬱壘二神，形象一醜一美，戰袍、靠旗一紅一緑。唯在頭盔和袖口處以精細的如意雲紋裝飾。

【 年畫 】

四川湖南安徽浙江地區

[年畫]

四川湖南安徽浙江地區

趙公鎮宅
清
出于四川綿竹市。
趙公形象威猛，身下騎一猛虎。

[年　畫]

四川湖南安徽浙江地區

壽天百禄
清
出于四川綿竹市。
壽星騎鹿下臨人間，一童子在前牽鹿，一童子在後隨行。

217

[年　畫]

四川湖南安徽浙江地區

門神
清
出于四川梁平縣。
此二門神爲秦瓊、尉遲恭。每人手中捧一盤，盤内有一金爵，象徵禄位高升，福禄臨門，而又有家宅平安的吉意。

[年畫]

四川湖南安徽浙江地區

219

四川湖南安徽浙江地區

[年　畫]

穆桂英

清

出于四川夾江縣。

圖中穆桂英頭戴雉翎，身着鎧甲，手提大刀，英姿颯爽。舊時四川一帶有以穆桂英作爲內室門神的習俗。

[年畫]

四川湖南安徽浙江地區

[年畫]

鯉魚跳龍門
清
出于四川夾江縣。
舊時龍門象徵高名顯位，鯉魚跳龍門即喻希望得到高名顯位，出人頭地，有光耀門庭之意。

四川湖南安徽浙江地區

水滸選仙圖

清

出于四川成都市。

此爲舊時兒童守歲之游戲棋盤,按排序繪水滸人物四十九位,游戲時以骰子比色,勝者上升,先登最終者爲勝。

[年畫]

四川湖南安徽浙江地區

門神

清

出于湖南隆回縣灘頭鎮。

這對門神顏面上突出雙目，豹眼圓睜，威嚴而不可犯。靠旗上的"福"字和衣袍上的"囍"、"愛"字樣十分明顯。

【 年　畫 】

四川湖南安徽浙江地區

225

[年畫]

四川湖南安徽浙江地區

五子門神

清

出于湖南隆回縣灘頭鎮。

這對門畫較小，適于貼在較小的屋門上。中部有對聯"慶豐收五谷（穀）豐登"與"祝新年四季發財"。

[年畫]

四川湖南安徽浙江地區

和氣致祥
清
出于湖南隆回縣灘頭鎮。
上部爲蝙蝠銜佛手和壽桃，上書"如意"，下部爲一童子，手展"和氣致祥"卷軸。

[年　畫]

四川湖南安徽浙江地區

花園贈珠
清

出于湖南隆回縣灘頭鎮。

描繪《珍珠塔》彈詞中的故事，右圖"陳園"內，梅花吐芳，翠娥在贈珍珠與方卿。左圖"竹軒"庭前，方卿得中狀元，手舉金印與翠娥相會。

[年畫]

四川湖南安徽浙江地區

老鼠嫁女
清
出于湖南隆回縣灘頭鎮。
此圖表現老鼠將女兒抬上花轎,準備將女兒嫁給貓。

老鼠嫁女
清
出于安徽臨泉縣。
圖中四隻老鼠抬一花轎,前有吹鼓手。轎頂上飛出一蝙蝠,表示轎中美女由老鼠所變。

[年　畫]

四川湖南安徽浙江地區

李白解表

清

出于安徽阜陽市。

圖中李白坐讀西域使臣所呈表章，高力士、楊國忠、楊貴妃立左右，玄宗坐案前凝眸靜聽。

十字坡

清

出于安徽阜陽市。

表現《水滸傳》中，武松于十字坡與柳（張）青、孫二娘相遇的故事。

230

[年 畫]

四川湖南安徽浙江地區

大破連環馬
清
出于安徽阜陽市。
高俅派呼延灼攻打梁山，呼延灼布連環馬，徐寧大戰呼延灼，并破連環馬。

鬧天宮
清
出于安徽阜陽市。
描繪《西游記》中，群猴鬥楊戩的場面。

231

[年畫]

四川湖南安徽浙江地區

蠶神圖
清
出于浙江杭州市餘杭區。
圖中蠶神端坐于桑樹屏風前,下爲養蠶婦女及老者。

酒中仙聖
清
出于浙江杭州市餘杭區。
圖中酒仙開懷暢飲。下爲劉伶、李白酒酣後,醉眠于地。

[年畫]

福建廣東廣西地區

門神

清

出于福建漳州市。

神荼、鬱壘除雙目有"鳳眼"和"環睛"的區別之外，二神都穿戴類似的戰袍、鎧甲和虎皮武冠，佩劍，手托盤龍金瓜（銅錘）。

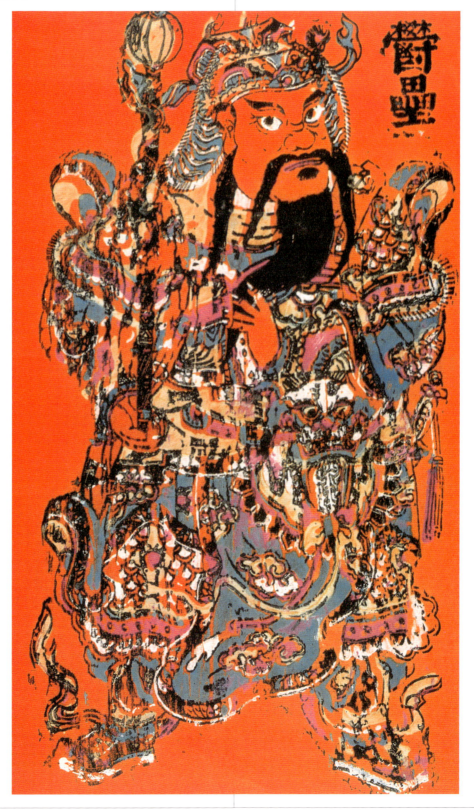

【年畫】

福建廣東廣西地區

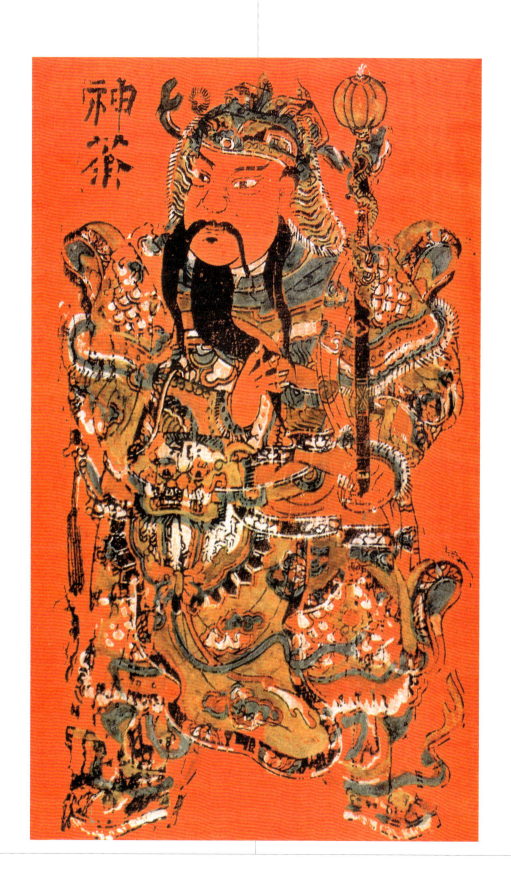

[年畫]

福建廣東廣西地區

富貴香祀天官

清
出于福建漳州市。
二天官相對，一捧牡丹，寓意富貴，一捧鼎爐，意爲香祀。

[年 畫]

福建廣東廣西地區

累積資金
清
出于福建漳州市。
畫幅較小，銅錢上的内容也更集中于斂財致富的意願。這類年畫屬于"斗方"。斗方年畫通常貼于米囤、水缸、錢櫃上，故以進財求富内容爲多見。

指日高升
清
出于福建漳州市。
天官雙手高舉一幼童，另一童子高舉令旗，空中懸一日。寓意高官禄位，指日可得。

237

[年畫]

福建廣東廣西地區

紡織圖

清

出于福建漳州市。

表現農家婦女紡紗織布的情形,與北方年畫中的《女十忙》大致相同。

[年　畫]

福建廣東廣西地區

九流圖

清

出于福建漳州市。

此圖繪下層九流人物,包括士農工商、牧童小販、剃頭刮臉、練武賣藥等各行業構成的市井生活。

空城計

清

出于福建漳州市。

表現《三國演義》中諸葛亮計退司馬懿的故事。

239

[年　畫]

福建廣東廣西地區

雙鳳奇緣
清
出于福建漳州市。
此圖內容出自清小說《雙鳳奇緣》的前半部。

斗柄回寅
清
出于福建漳州市。
圖中魁星踏龍，一手握筆，一手拿一枝仙草，除作爲學子之保護神外，還兼有送財之意。將魁星畫于"春"字上，創意新穎。

【 年 畫 】

五福圖
清
出于福建泉州市。
福建方言"虎"與"福"諧音,"五虎"爲"五福"之意。圖中五虎環繞聚寶盆和一"招財進寶"古錢,姿態各異,樸拙可愛。

【年畫】

鎮虎圖
清
出于福建泉州市。
圖繪一斑斕猛虎，口銜一"招財進寶"之金錢，背負一太極八卦圈，身護聚寶盆，象徵財富年豐。

福建廣東廣西地區

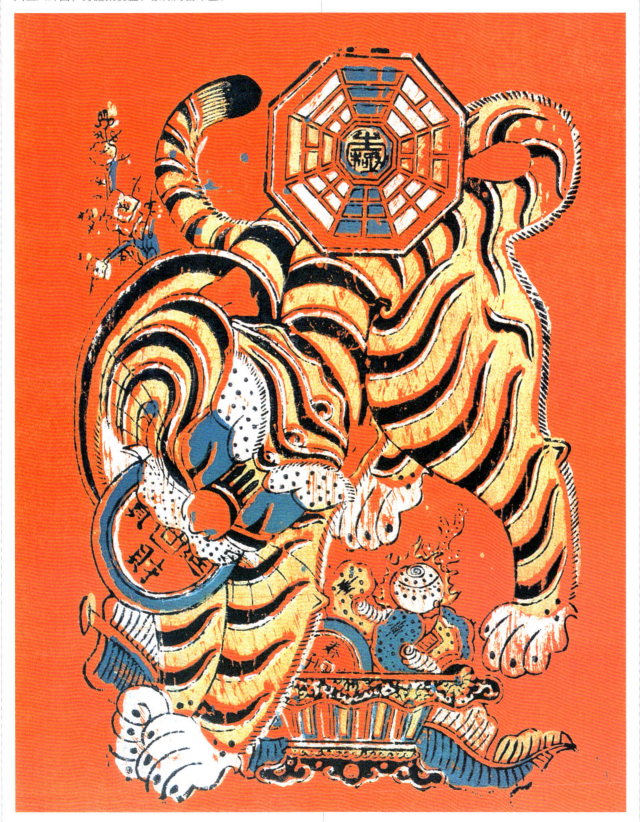

【年畫】

三星圖

清

出于福建泉州市。

此圖爲福、禄、壽三星，再加二童子、一獅和二侍女。

賜麟兒 狀元及第
清
出于廣東佛山市。
這對門神畫，爲新婚人家內屋門上所貼。右幅爲一男子，穿戴狀元服飾，意謂家中男兒應試必中狀元，高升富貴。左幅爲一貴婦，手執拂塵，并抱嬰兒，意謂送子，祈望早生男兒。

紫微正照

清

出于廣東佛山市。

圖中紫微坐騎一怪獸，右手托舉太極圖，左手抱"紫微正照"方印。

鳳凰戲牡丹
清
出于廣東佛山市。
鳳凰爲傳說中的瑞鳥。古代習慣把鳳凰比爲夫妻和睦美滿。牡丹爲富貴之花，鳳凰戲牡丹則寓意夫妻和美，且榮華富貴。

[年畫]

福建廣東廣西地區

福壽全
清
出于廣東佛山市。
正中爲福壽三星，兩旁爲吉祥童子。

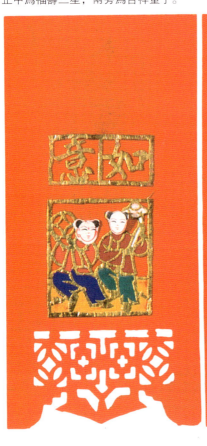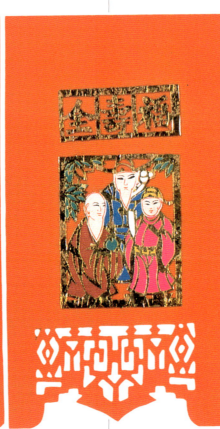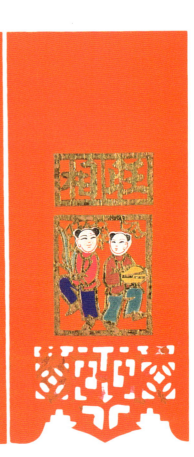

【年畫】

福建廣東廣西地區

東方朔
清
出于廣西桂林市。
東方朔爲漢武帝時大臣，圖中東方朔白眉皓髮，手捧仙桃與白鹿相隨，以示長壽成仙之意。

年　表

（紅色字體爲本卷涉及時代）

新石器時代（公元前8000年 – 公元前2000年）

夏代（公元前21世紀 – 公元前16世紀）

商代（公元前16世紀 – 公元前11世紀）

西周（公元前11世紀 – 公元前771年）

春秋（公元前770年 – 公元前476年）

戰國（公元前475年 – 公元前221年）

秦代（公元前221年 – 公元前207年）

漢代（公元前206年 – 公元220年）

三國（公元220年 – 公元265年）

西晉（公元265年 – 公元316年）

十六國（公元304年 – 公元439年）

東晉（公元317年 – 公元420年）

北朝（公元386年 – 公元581年）

南朝（公元420年 – 公元589年）

隋代（公元581年 – 公元618年）

唐代（公元618年 – 公元907年）

五代十國（公元907年 – 公元960年）

遼代（公元916年 – 公元1125年）

宋代（公元960年 – 公元1279年）

西夏（公元1038年 – 公元1227年）

金代（公元1115年 – 公元1234年）

元代（公元1271年 – 公元1368年）

明代（公元1368年 — 公元1644年）

清代（公元1644年 — 公元1911年）